LES AUTODAFEURS 1
mon frère est un gardien

De la même auteure au Rouergue
Les autodafeurs 2 - ma sœur est une artiste de guerre - **2014, roman doado.**
Les autodafeurs 3 - nous sommes tous des propagateurs - **2015, roman doado.**
Génération K 1 - **2016, roman épik.**
Génération K 2 - **2017, roman épik.**
Génération K 3 - **2017, roman épik.**

À mon mari Jean-Michel, à nos fils Martin et Antoine
qui ont supporté mes interminables séances de lecture et d'écriture.
Je vous aime.
M. C.

Couverture : © **Barrère & Simon**

www.lerouergue.com

doado

Marine Carteron

LES AUTODAFEURS 1

mon frère est un gardien

5 heures du matin
sur une petite route de campagne

Le choc a été très violent. Le camion a surgi de nulle part et a percuté la voiture de plein fouet avant de l'envoyer par-dessus les glissières de sécurité terminer sa course contre un grand chêne.

Elle a fait plus de cinq tonneaux avant de s'immobiliser et maintenant c'est une épave ; la roue avant gauche tourne encore tandis que de la fumée commence à s'échapper du capot éventré.

Suspendu la tête à l'envers dans l'habitacle détruit, l'homme sait qu'il va mourir. Cela fait plus d'un an qu'il redoute ce moment. Depuis le jour où il a surpris les plans des Autodafeurs, il a su qu'ils ne le laisseraient pas se mettre en travers de leur chemin.

Il y a trop d'années qu'ils attendent de prendre le pouvoir.

Trop de siècles qu'ils guettent une opportunité.

Il n'avait aucune chance.

Alors, quand il a vu le camion, quand il a subi le premier impact et encaissé le premier tonneau, il n'a pas été surpris mais a juste pensé qu'il aurait aimé avoir plus de temps. Plus de temps pour tenter d'empêcher l'inévitable ; plus de temps pour prévenir les gouvernements de ce qui se tramait dans l'ombre ; plus de temps pour préparer son fils à prendre sa place.

L'odeur d'essence et la fumée filtrent à travers le pare-brise explosé. Il faut qu'il réagisse s'il ne veut pas finir brûlé. L'homme essaie de bouger la main pour détacher sa ceinture de sécurité, mais elle ne lui répond plus. Il comprend que le craquement qu'il a entendu lors du premier impact ne provenait pas de son fauteuil mais de sa colonne vertébrale.

Il ne peut plus bouger, mais au moins il ne souffre pas.

Il entend des pas.

Il aimerait bien croire que ce sont des sauveteurs mais il sait, rien qu'en les écoutant, que ce n'est pas le cas.

Les hommes parlent en latin.

– *Eum mortum esse putas ?*

– *Concursusque véhémentissimus fuit !*

Deux voix.

La première, qu'il ne connaît pas, demande s'il est mort.

La deuxième, qu'il connaît bien, précise que le choc a été violent. Sans doute pour se persuader que le travail a été bien fait.

Il va devoir le décevoir.

– Je suis vivant, Athos, il va falloir que tu m'achèves ! crie-t-il dans un dernier geste de bravade.

L'homme s'approche et se penche. Malgré la fumée et la cagoule noire, il reconnaît bien ce regard. Vingt-cinq ans qu'il ne l'avait pas croisé. Mais qui aurait cru que leurs retrouvailles se dérouleraient ainsi. Lui presque mort au milieu des flammes et son « ami » dans le rôle du bourreau des Autodafeurs.

Pendant qu'ils s'observent, l'autre homme en noir fouille les décombres de sa voiture mais ne trouve rien.

– *Nihil omnio**, dit-il.

Athos secoue la tête d'un air déçu.

– Dis-moi, Aramis. Où est ton Livre de bord ? Tu sais que nous ferons tout pour qu'il ne tombe pas entre de mauvaises mains. Pense à ta famille. Parle.

Mais l'homme rit. C'est justement à sa famille qu'il pense en cet instant précis. Et cette pensée le rend heureux car il a foi en eux.

Il sait que son artiste de fille saura prendre soin de son Livre et il sait aussi que son fils saura se souvenir et trouver la force de combattre lorsque le moment sera venu.

Il peut mourir en paix et c'est ce qu'il décide de faire, non sans un dernier regard de mépris pour celui qui fut jadis son ami.

---

* Il n'y a rien ici.

là où tout a commencé

Je m'appelle Auguste Mars, j'ai quatorze ans et je suis un dangereux délinquant.

Enfin, ça, c'est ce qu'ont l'air de penser la police, le juge pour mineur et la quasi-totalité des habitants de la ville.

Aujourd'hui, je purge une peine d'assignation à résidence, et le bracelet électronique qui m'enserre la cheville droite m'empêche de m'éloigner de plus de cent mètres de mon lieu de résidence.

Évidemment, je suis totalement innocent des charges de « violences aggravées, vol, effraction et incendie criminel » qui pèsent contre moi, mais pour le prouver, il faudrait que je révèle au monde l'existence de la Confrérie et du complot mené par les Autodafeurs… et j'ai juré sur ma vie de garder le secret.

C'est probablement un bon exemple de ce que mon prof de français appellerait « un drame cornélien », mais moi j'appelle ça « une situation de merde ». Soit je trahis ma parole et je dévoile un secret vieux de vingt-cinq siècles (pas cool), soit je me tais... et je passe pour un dangereux délinquant (pas cool non plus).

Mais bon, pour que vous compreniez mieux comment j'en suis arrivé là, il faut que je reprenne depuis le début, c'est-à-dire là où tout a commencé.

Début février, par un petit matin froid et brumeux (non, en fait il faisait doux et soleil, mais j'en garde un souvenir froid et brumeux), deux gendarmes sont venus à la maison pour nous annoncer que papa n'était plus là.

Voilà.

Comme ça.

D'un coup.

Le soir tu es tranquille dans ta petite vie parisienne, avec comme préoccupations principales de savoir comment te coiffer pour être un BG, si la prof de maths va se rendre compte que tu as pompé la moitié de ton devoir sur ton voisin, ou à quelle date tes parents vont ENFIN se décider à te laisser appartenir au monde réel (eh oui, à quatorze ans je n'ai toujours pas de portable...) et, le lendemain matin, deux types sonnent à ta porte et toute ta vie vole en éclats.

Ça s'est passé comme dans un mauvais film.

La sonnette a retenti.

Césarine a crié : « Laaa pooorte ! »

Maman, encore en pyjama, s'est précipitée pour ouvrir.

Les gendarmes se tenaient bien droits, leur képi à la main et, devant leur air gêné, maman a tout de suite compris qu'il était arrivé quelque chose à papa. Non pas parce qu'il est militaire ou flic ou agent secret, là on aurait été préparé (au contraire, il fait le métier le plus pépère du monde, c'est un spécialiste de la conservation des manuscrits médiévaux à la Bibliothèque nationale), mais parce qu'il est souvent perdu dans ses pensées et que ce n'est pas franchement conseillé quand on est au volant…

… Bref, vous avez deviné la suite : un matin brumeux, une route étroite et boum, plus de papa.

Mais ça, bien sûr, je ne l'ai su que plus tard.

Sur le moment, j'ai juste vu maman devenir toute blanche et se mettre les mains devant la bouche avant de tomber dans les pommes aux pieds des gendarmes.

Bizarrement, le premier truc qui m'est venu à l'esprit fut « Mais qu'est-ce qu'elle fabrique encore ? », car maman a la fâcheuse habitude de me coller la honte à longueur de temps.

D'abord elle est prof.

Quand les mères de mes copains sont avocates, médecins, journalistes, ben moi la mienne elle est PROF, et d'histoire-géo en plus, la matière qui gonfle tout le monde ; et bien sûr, comme si ça ne suffisait pas, elle est prof dans MON collège, ce qui m'oblige à me planquer pour éviter ses petits coucous et ses bisous. J'ai bien envisagé un temps de changer d'établissement, ou de nom, ou de faire croire que j'étais un enfant adopté, mais rien à faire, tout ce que j'ai obtenu c'est qu'elle me laisse à cinquante mètres du bahut et ne m'appelle plus par mon surnom devant mes potes.

Quand je pense qu'avant ma naissance elle était archéologue comme Lara Croft ou Indiana Jones, ça, c'était la classe. Soi-disant qu'elle a arrêté pour s'occuper de nous mais ça ne l'a pas empêchée de nous affubler de prénoms d'empereurs. Heureusement qu'elle était spécialisée en histoire romaine, si elle avait été égyptologue… au lieu d'Auguste et Césarine, elle nous aurait peut-être appelés Ramsès et Cléopâtre !

Bref, tout ça pour dire que sur le coup, quand maman, pas coiffée et en pyjama, s'est évanouie sur les gendarmes, comme un gros con j'ai juste eu trop la honte ; et puis Césarine s'est mise à donner des coups de pied avec ses pantoufles « Monsieur-Madame » au pauvre flic en lui hurlant de lâcher sa maman et j'ai compris qu'ils n'étaient pas là pour vendre des calendriers, surtout qu'on était début février et que, malgré mon allergie aux uniformes, je sais tout de même faire la différence entre un pompier et un gendarme !

Quand le deuxième képi s'est approché de moi pour savoir qui il pouvait prévenir pour s'occuper de nous, je lui ai tout de suite répondu « papa », et j'ai débité d'un trait son numéro de portable, avant de lire dans ses yeux que ce n'était pas la bonne réponse.

Le gendarme s'est alors mis à me parler avec la même voix que celle que j'utilise avec Césarine pour lui faire comprendre les concepts importants, comme ne pas entrer dans ma chambre, ne pas dessiner sur mes cahiers, ni dire à mes potes que je joue parfois, très rarement, pour ainsi dire jamais, à la poupée avec elle (et le premier que je vois sourire, je l'éclate) ; bref, la voix des choses importantes pour demeuré, et j'ai compris, même si les mots buguaient et arrivaient mélangés dans mon cerveau, que le problème était réel.

Je me rappelle avoir vu les lèvres du gendarme bouger et avoir entendu des mots comme : voiture, désolé, papa, rapide, pas souffert, mort ; mais j'avais du mal à reconstituer une phrase sensée. Mon hémisphère gauche m'envoyait des trucs surréalistes du type : « La voiture rapide de ton papa n'est pas désolée d'avoir souffert la mort » ou « La mort est désolée de ne pas avoir de papa voiture en souffrance rapide » ou encore « N'a pas souffert qui n'est pas rapidement désolé pour sa voiture », et j'en passe.

Quand je me concentrais, je voyais bien une phrase qui pouvait avoir du sens mais, même si cette phrase pouvait expliquer à elle seule les gendarmes, les hurlements de Césarine et l'évanouissement de maman, je n'étais pas prêt à l'accepter.

Du coup, j'ai fait la seule chose qui m'a semblé logique sur le moment : j'ai pris mon sac à dos et je suis parti au collège… pieds nus et en pyjama.

Le trottoir était froid mais c'était plutôt agréable et je pensais à… je ne sais pas à quoi je pensais en fait.

Tout me semblait plus dense ; l'air que je respirais, la lumière, le bruit des voitures, le contact des sangles de mon sac à dos sur mes épaules et la chaleur des larmes sur mes joues.

Je voyais tout flou, rapport aux larmes, et j'ai ri en pensant que j'étais peut-être devenu myope d'un coup, comme papa qui ne voyait rien sans ses lunettes et faisait semblant de confondre Césarine avec maman pour les faire rire.

Et alors, de penser à papa, là, en pyjama au milieu de la rue, j'ai enfin accepté les mots prononcés par le grand gendarme à l'air gêné :

« Désolé mon garçon, mais ton papa a eu un accident de voiture. Les secours n'ont rien pu faire, il est mort sur le coup, il n'a pas souffert. »

Et comme maman, je me suis évanoui.

journal de Césarine

Papa est mort.

Les adultes disent qu'il est « parti », mais c'est idiot. Je sais bien ce que veut dire « mort » ; c'est que son cœur a cessé de servir de pompe à son corps et que, du coup, il n'y a plus d'oxygène dans son cerveau et que ses fonctions s'arrêtent.

Si papa était un grille-pain, on dirait qu'il est cassé, mais comme c'est un humain, on dit qu'il est mort.

On dit parfois que le grille-pain est « mort » mais c'est « une image », c'est-à-dire qu'on parle du grille-pain « comme si » c'était un être vivant.

C'est idiot parce qu'un grille-pain est un objet et que quand il est cassé, soit on le jette et on en achète un autre, soit on le fait réparer et papi dit que c'est mieux pour la planète.

Mais papa n'est pas un grille-pain, donc il est mort, ça veut dire qu'il ne reviendra pas (alors que s'il était parti il pourrait revenir). On ne peut pas le réparer ni en acheter un autre.

C'est mamie qui m'a dit d'écrire ce journal. Mamie est psychologue, ça veut dire qu'elle soigne l'âme malade des gens en leur parlant et en les écoutant.

Mamie c'est la maman de papa, donc elle est triste, mais elle ne m'a pas dit qu'il était parti parce qu'elle sait que c'est idiot. Moi je ne suis pas triste, mais je sais que maman et Auguste le sont.

Maman parce qu'elle pleure et mon frère parce qu'il fait n'importe quoi.

Parfois les gens pleurent car ils ont mal, maman pleure car elle est triste.

D'habitude, j'ai du mal à faire la différence entre la tristesse et la souffrance physique, mais là j'en suis sûre parce qu'il y a d'autres signes : ils ne sourient plus, ils se traînent dans l'appartement et sont sans réaction.

S'ils s'étaient fait mal, ils sauteraient partout en criant et en disant des gros mots comme le jour où papa s'est cassé un orteil en se cognant le pied dans la table basse.

Mamie dit qu'ils sont « apathiques », mais c'est bizarre car dans le dictionnaire j'ai lu : « L'apathie est un état d'indifférence à l'émotion, la motivation ou la passion. Un individu apathique manque d'intérêt émotionnel. »

Mais mes éducateurs classent la tristesse dans les sentiments. Donc c'est plutôt moi qui suis « apathique » vu que je ne suis pas triste… Les adultes manquent souvent de logique.

Papi et mamie sont arrivés après que des policiers ont ramené Gus qui était parti à l'école en pyjama. Papi s'est occupé de maman et de mon frère, mais mamie est venue s'asseoir avec moi dans le bureau de papa.

Je ne voulais plus en sortir parce que, pendant que maman parlait avec la police, j'ai vu un monsieur qui fouillait dans les affaires de papa. Je pense qu'il cherchait le livre que papa m'a confié. Sauf qu'il n'avait aucune chance de le trouver là, vu qu'il était dans ma chambre.

Le monsieur m'a dit qu'il était de la police, mais je sais bien que c'est faux parce qu'il n'a pas parlé aux autres et qu'en plus il a volé les plans et les cartes sur lesquels papa travaillait hier soir.

Je l'ai dit à maman mais elle ne m'a pas crue. Pourtant je ne peux pas me tromper car j'ai une mémoire photographique, même que Gus m'appelle « sa photocopieuse sur pattes » (là aussi c'est une image parce que je suis une personne).

J'aime bien parler avec mamie parce qu'elle est patiente et m'explique tout très bien, autant de fois que je veux.

Là, elle a attendu longtemps parce que j'avais besoin de tout remettre en place dans ma tête. Il se passait trop de choses pas normales, ça me faisait peur, et quand j'ai peur je m'enferme dans ma tête et je compte parce que les chiffres c'est clair, c'est toujours pareil, et ça me rassure.

Quand j'ai eu fini de compter tous les livres de la bibliothèque de papa, j'ai regardé mamie pour qu'elle sache que j'étais prête à l'écouter, et elle m'a tendu ce cahier. Mamie a dit qu'il fallait que j'écrive ce que j'avais envie dedans pour éviter de trop encombrer ma tête, car quand les gens perdent un proche, ils se mettent à penser à plein de choses difficiles.

Je lui ai demandé si « perdu » c'était aussi une image pour dire que papa était mort et mamie m'a dit que oui.

Je n'ai pas très bien compris pourquoi il fallait que j'écrive dans ce cahier, mais j'ai bien aimé le principe : écrire dans un cahier c'est concret, et moi j'aime quand c'est concret. Et puis j'ai vu que ça faisait plaisir à mamie, donc j'ai dit oui.

Mamie a dit qu'il fallait toujours que je termine en résumant les choses importantes.

Donc :

1 : Papa est mort.

2 : Un faux policier a volé les plans et les cartes de papa dans son bureau.

3 : Cacher le livre de papa comme il me l'a demandé.

là où j'aurais mieux fait de me taire

La semaine qui a suivi la mort de papa a été un véritable enfer.

J'avais l'impression de vivre dans un film de mauvaise qualité. Comme si ma vie n'était plus vraiment ma vie et que je ne maîtrisais plus rien.

À certains moments tout était flou.

Les visages, les heures, les paroles se mélangeaient comme si le son n'était plus en Dolby et que la réception était mauvaise.

À d'autres moments, j'étais sur avance rapide, les heures entre le réveil et le coucher défilaient à toute allure sans que j'aie l'impression d'être capable de me réveiller totalement.

Puis, sans que je sache pourquoi, certains instants se sont gravés dans ma mémoire comme un arrêt sur image, un plan serré sur une seconde de pleine conscience : maman dans le vieux pull de papa se laissant promener dans l'appartement comme un pantin désarticulé ; Césarine me demandant pourquoi les gens disaient sans arrêt que papa était « parti » alors qu'il était mort et se balançant inlassablement sur le canapé du bureau en recomptant la totalité des livres de la bibliothèque.

Et puis il y avait papa, absent et partout présent : dans le courrier à son nom sortant de la boîte aux lettres ; dans le lait de soja qu'il était le seul à boire se périmant lentement au fond du frigo et que personne n'avait le courage de jeter ; sur les mots croisés inachevés du journal télé qui semblaient attendre qu'il vienne les terminer ; dans la mission de *Call of Duty* qu'on avait débutée ensemble et que je devrais achever tout seul.

Dur.

Évidemment, la famille a débarqué en force pour nous soutenir, ce qui était plutôt gentil, sauf que comme toute la famille était là, cela impliquait que même la mère de maman qu'on ne voit jamais car elle habite au Brésil s'est sentie obligée de venir.

Maman lui trouve toujours des tonnes d'excuses mais il faut être lucide, Mamina, comme elle veut qu'on l'appelle parce qu'elle « n'a tout de même pas l'âge qu'on l'appelle grand-mère », vient nous voir tellement rarement qu'on a du mal à la considérer comme un membre de la famille.

Du coup, quand elle arrive, on n'a pas grand-chose à lui dire et elle se sent obligée de meubler en nous couvrant de cadeaux inutiles. Puis, histoire de masquer ce désastre, elle inonde sa page Facebook de photos et de commentaires mielleux du genre « Mes deux amours », « Les petits cœurs de leur Mamina ».

De toute manière, les visites de Mamina finissent toujours de la même manière :

• Option 1 : au bout de trois jours, maman craque et vire Mamina.

• Option 2 : au bout de trois jours, c'est Mamina qui craque et se souvient qu'elle a un rendez-vous super important. N'importe quoi plutôt que de nous supporter un jour de plus.

Avec l'enterrement, Mamina était obligée de venir ; d'abord parce qu'elle trouve que le noir lui va bien, ensuite parce que ce nouveau rôle de « grand-mère courage qui soutient sa fille et ses petits-enfants face au destin implacable » lui permettait de se faire plaindre et de mettre en avant ses talents de tragédienne (je pense qu'elle a reçu plus de condoléances que maman, Césarine et moi réunis), et enfin parce que ne pas venir à l'enterrement de papa aurait fait tache sur son CV de super mamie.

Évidemment, maman n'avait pas la force de la virer, du coup nous avons dû supporter l'enterrement ET Mamina.

Franchement, je ne sais pas lequel a été le plus pénible.

Quand elle s'est penchée sur la tombe le visage en larmes et une main sur le cœur alors qu'elle n'a jamais vraiment aimé papa, j'ai bien envisagé de la pousser dans le trou et, au regard que Césarine m'a jeté au même moment, je suis certain qu'elle y pensait aussi.

Mais bon, je me suis retenu.

Le seul moment de franche rigolade, et de honte absolue pour moi, ça a été la messe.

Moi qui n'aime pas trop les bondieuseries, j'ai été servi.

Le curé s'est révélé être un triple idiot. Au mieux, c'était un incapable s'étant trompé de macchabée en révisant ses fiches, au pire un sadique qui prenait son pied à détruire les réputations sans en avoir l'air.

Pour tout vous dire, ce curé, c'était la tronche de Mister Bean sans l'humour, le charisme d'une huître sans l'iode et la gestuelle d'un présentateur météo sur France 3. Mais surtout, à mon plus grand désespoir, il avait l'art de débiter des âneries plus grosses que lui sans que ça lui fasse frémir le crucifix.

Le problème c'est que moi, les grosses conneries, ben, ça me fait hurler de rire et que, pendant la messe d'enterrement de mon père, ce n'était pas vraiment le moment.

Cette andouille en soutane a commencé par dire que papa était né en 1848 au lieu de 1968.

Ça aurait pu passer si Césarine, qui prend tout au premier degré, ne m'avait pas glissé à l'oreille :

– Cent soixante-trois ans, c'est n'importe quoi, il n'avait même pas de cheveux blancs papa.

Devant son air consterné, j'ai senti que ça commençait à me chatouiller la mâchoire. Ensuite, bien sûr, ça a été le festival de la connerie, à croire que le curé jouait avec moi à la barbichette :

– Nos pensées vont vers ses quatre enfants qui sont aujourd'hui dans la peine.

Regard douloureux du prêtre dans notre direction et Césarine qui ajoute à mon attention :

– Ils sont où les deux autres ? Pourquoi on ne me dit jamais rien à moi ?

– Nous accueillons maintenant la petite-fille de notre cher disparu qui a tenu à dire quelques mots en hommage à son grand-père, brailla alors le curé pour accueillir une cousine de mon père tandis que Césarine, de plus en plus perdue, m'assenait un pathétique :

– Mais c'est impossible, elle a vingt-neuf ans alors que tu n'en as que quatorze ! Ça ne peut pas être ta fille, c'est idiot.

Là, ce fut la goutte d'eau bénite qui faisait déborder le bénitier et j'ai dû plonger la tête dans mes mains pour tenter de camoufler mon fou rire.

Heureusement, à part Mamina qui s'y connaît en comédie, tout le monde a pris mon fou rire pour de gros sanglots.

Ensuite, ce fut nettement moins drôle : cimetière, trou (et l'envie d'y fourrer Mamina), terre, fleurs, buffet avec des tonnes de bouffe et les invités qui s'empiffrent comme pour se rappeler qu'ils sont encore vivants et, enfin, départ de tout le monde… donc de Mamina, ce qui fut la bonne nouvelle de cette journée pourrie (en même temps quel intérêt pour elle de rester alors que son public était parti ?).

Le soir de l'enterrement, après une semaine passée au milieu d'une foule dégoulinante de bons sentiments, nous nous sommes retrouvés tous les trois dans l'appartement silencieux et la vie a semblé reprendre son cours normal.

Sauf que cette nouvelle vie était forcément moins bien sans papa, avec maman qui ressemblait de plus en plus à une marionnette sans fils et Césarine qui n'arrêtait pas de réciter des tables de multiplication en se balançant sur le canapé.

Ce n'était pas gagné.

Et là, j'ai fait la chose que jamais, au grand jamais, je n'aurais cru être capable de faire. J'ai lâché la phrase qui tue pour sortir ma sœur et ma mère de leur apathie :

– Et si on partait vivre à La Commanderie avec papi et mamie ?

Je savais en le disant que, même si c'était la bonne solution pour les filles, ce n'était pas, mais alors pas du tout, une bonne idée pour moi.

Quitter Paris, l'appart, les potes, les musées, les rives de la Seine, mes bouquinistes et mes restaurants indiens préférés… Arghh.

Il y a encore une semaine, j'aurais dit « plutôt mourir » ; mais là c'était papa qui était mort, et maman qui était à peine vivante, donc je n'avais pas le choix.

C'était ma famille ou Paris… et j'ai choisi ma famille.

C'est fou comme une simple phrase peut avoir un effet magique sur certaines personnes. J'ai eu l'impression d'être Ali Baba articulant « Sésame ouvre-toi » ou Harry Potter ouvrant une porte avec son « Alohomora ».

Sitôt ma phrase prononcée, Césarine a cessé de se balancer, maman a tourné son visage vers moi et j'ai vu une petite étincelle de vie s'allumer dans ses pupilles. Ce n'était pas encore un grand feu de joie, plutôt la mini étincelle que ces crétins de *Koh-Lanta* mettent une heure à obtenir avec deux morceaux de bambou, mais c'était toujours mieux que ce regard de poisson mort qu'elle avait depuis une semaine.

Quant à Césarine, j'ai presque entendu les rouages de son cerveau se remettre en route avant qu'elle ne lâche :

– 32 m^3, soixante-trois grands cartons et trente-sept petits.

Ce qui, en langage Césarine, voulait dire qu'elle approuvait le projet et avait déjà calculé le volume du camion de déménagement.

Bon, je sais que c'est moi qui avais lancé l'idée et je sais aussi que c'était ce qu'il y avait de mieux à dire, car maman n'aurait jamais osé le proposer d'elle-même.

Mais malgré tout, quand j'ai compris que ma brillante idée allait être mise à exécution, la seule chose qui m'est venue à l'esprit fut :

« MERDE ! »

journal de Césarine

Aujourd'hui, on a enterré papa.

Tout le monde était triste, ce qui ne sert à rien parce que papa, lui, il s'en fiche vu qu'il est mort.

Quand les gens sont morts, on les met dans une boîte, ça s'appelle un cercueil, et puis on va à l'église où un bonhomme en robe fait semblant de bien connaître le mort et doit dire des choses gentilles sur lui et raconter des bêtises pour que les gens soient moins tristes (comme de dire que le mort est en fait vivant dans un endroit très loin qui s'appelle « le paradis » où il est très heureux, ce qui est idiot vu qu'il est mort).

Notre bonhomme en robe (papi dit que c'est un curé) était vraiment très fort parce qu'il a réussi à faire rire mon frère ; par contre, je crois qu'il ne connaissait pas bien papa parce qu'il a dit beaucoup de bêtises.

Auguste l'a traité de « truffe » mais je pense qu'il s'est trompé parce qu'une truffe c'est : soit le nez d'un chien, soit un champignon, soit un chocolat.

Je n'ai pas trop aimé le cimetière parce que je pensais à tous ces corps en train de se décomposer ; mais j'étais quand même contente de savoir que les familles de vers de terre étaient bien nourries.

Et puis j'ai aussi pensé que les vers de terre allaient manger papa et que les poules mangeaient les vers de terre, donc j'ai dit à mamie que je ne mangerais plus d'œufs ni de poulets.

Mamie a dit qu'il faudrait au moins vingt ans avant que les vers de terre mangent papa, parce que le cercueil était très solide.

Ça m'a rassurée.

Ce soir, quand tout le monde est parti, mon frère a dit qu'on allait vivre à La Commanderie avec papi et mamie.

D'habitude je n'aime pas le changement, mais La Commanderie c'est un peu notre deuxième maison, donc ce n'est pas vraiment un changement.

En plus, c'est là que papa allait le jour où il est mort.

Je le sais car j'ai dormi dans son bureau et que, quand je suis avec lui, papa parle à voix haute pour m'aider à m'endormir.

La nuit précédant sa mort, j'étais donc sur son canapé, il travaillait sur ses plans et de vieilles cartes qu'il avait ramenées des archives et je me souviens de tout ce qu'il a dit :

« Tu vois ma Cés, je pense que j'ai enfin trouvé le trésor que notre famille a perdu il y a des siècles ; ton grand-père me prenait pour un fou, mais je pense que j'ai trouvé une piste sérieuse. Tu imagines que c'était peut-être sous notre nez depuis tout ce temps… c'est incroyable que personne n'y ait pensé avant ! Il aura fallu attendre que je déniche ce fichu plan terrier qui avait été mal classé à la Révolution pour m'en apercevoir ! Marc va être fou quand je lui dirai ça demain. »

Comme papa m'agitait son plan sous le nez, je l'ai bien regardé mais je n'ai pas trop compris pourquoi ça l'excitait comme ça ; parce que son plan n'avait rien de particulier.

Je lui ai alors fait remarquer que c'était le problème quand on ne savait pas ranger ses affaires correctement. Il m'a dit qu'il était bien d'accord avec moi mais qu'heureusement, grâce à ce qu'il pensait découvrir le lendemain à La Commanderie, cette erreur serait bientôt réparée.

Et puis, je me suis endormie et le lendemain papa était mort, et le faux policier volait ses papiers.

Donc :

1 : Quand j'aurai vingt-sept ans, j'arrêterai de manger des œufs et du poulet.

2 : Il faut que je trouve le trésor de papa.

retour à La Commanderie

Les bagages ont été vite bouclés. J'ai à peine eu le temps de dire « ouf » que nous étions déjà dans le camion et en route pour la campagne.

Je n'aurais jamais pensé que l'appartement puisse se vendre aussi vite. J'espérais que ça traîne un peu comme dans les épisodes de *Maison à vendre* où de pauvres gens ne comprennent pas pourquoi leur pavillon plaqué lambris, encombré de collections de chats en faïence, mette plus d'un an à se vendre. Malheureusement pour moi, maman n'a pas eu besoin de Stéphane Plaza pour vendre l'appartement. Il faut dire que notre petit nid de la rue de l'Estrapade était une vraie merveille et il a suffi d'une visite pour que l'appartement où j'avais appris à marcher disparaisse de notre vie.

J'ai à peine eu le temps de faire correctement mes adieux « *Urbi et Orbi* » (c'est-à-dire à la ville et au monde pour les incultes) que j'avais les fesses sur le siège avant du camion des Déménageurs bretons.

Dans les entrailles du transporteur, toute notre histoire parisienne avait été empaquetée dans du papier bulle, soit : 32 m^3, soixante-trois grands cartons et trente-sept petits.

Césarine ne s'était pas trompée et là, comme lors de tous nos déplacements motorisés, elle jouait au GPS et agaçait tout le monde :

– Plus que 326 kilomètres, dont 250 d'autoroute, 63 de nationale et 13 de départementale. Il nous reste 29 litres d'essence et en roulant à la vitesse constante de 110 km/h, il faudra s'arrêter dans 1 h 47 environ - pause - Plus que 325 kilomètres dont 249 d'autoroute, 63 de nationale et 13 de départementale…

Tout ça dit de sa petite voix haut perchée et monocorde sans qu'elle cesse une seconde de psalmodier en fixant la route d'un regard halluciné. On aurait dit un de ces chiens idiots qui bougent la tête sur la plage arrière de certaines voitures.

À la voir comme ça, avec ses socquettes blanches, ses chaussures vernies à brides, sa petite robe bien sage, son cardigan boutonné jusqu'au cou et ses deux petites couettes blondes, elle semblait tout droit sortie d'un livre d'images.

Depuis qu'elle était tombée sur la collection des albums de *Martine* chez papi et mamie, elle refusait absolument de s'habiller autrement. Et quand Césarine veut quelque chose, rien ni personne ne peut s'y opposer.

Pour tout vous dire, ma petite sœur adorée est un peu particulière.

Déjà, nourrisson, elle ne pleurait jamais, clignait à peine les paupières et fixait tout et tout le monde avec un regard vide totalement flippant ; au point que les nounous ne se battaient pas pour la garder.

Même aujourd'hui, regarder Césarine dans les yeux équivaut à se noyer dans un puits sans fond. Ses yeux sont sans âge, à la fois vides (je sais, je l'ai déjà dit) et emplis de toute la sagesse du monde… Papa les appelait « les puits jumeaux de Démocrite » en référence au puits éponyme (pour ceux qui n'ont pas une mère calée en histoire, je les renvoie à Wikipédia car, n'en déplaise à mes profs, c'est vachement pratique…).

Quand Césarine a su marcher, elle s'est mise à refuser de se laisser approcher par des inconnus.

Si quelqu'un qu'elle ne connaissait pas la touchait, elle hurlait littéralement à la mort jusqu'à ce que l'inconscient la lâche et maman a dû arrêter de travailler pour lui faire la classe car aucune maternelle ne voulait l'accepter. Comme maman est prof, ça n'aurait pas dû lui poser trop de problèmes… si Césarine ne s'était pas révélée être une élève un peu compliquée. Non pas que ma sœur soit totalement abrutie. À quatre ans elle savait lire, écrire et même compter. Mais notre petit génie refusait absolument de parler.

Pas une parole, pas un mot, rien.

Juste ses grands yeux noirs, vides et profonds.

À l'époque, je voyais bien que ma sœur était différente, mais ça n'avait pas d'importance.

Dès sa naissance, quand on est allé la voir à la clinique avec papa, j'ai tout de suite ressenti un amour infini pour cet asticot rose et baveux qui me fixait de ses grands yeux de reptile. Aussi, quand les médecins, la mine grave, ont fini par nous annoncer que Césarine était autiste en la regardant comme un animal de foire, j'ai bugué ; j'ai entendu « artiste » et, tout content de la bonne nouvelle, j'ai demandé aux guignols en blouses blanches :

– Super ! Mais elle est artiste de quoi ? Artiste peintre ? Artiste de cirque ?

Ça a fait rire maman et papa a ajouté :

– Tu as raison mon grand, à une lettre près on ne va pas chipoter.

Et là, Césarine, que nous n'avions jamais entendu prononcer une phrase, a lâché les cubes qu'elle était en train d'essayer d'hypnotiser. Elle est venue me prendre la main et elle a dit :

– Artiste. Césarine est une artiste. Voilà.

Ensuite, elle a quitté le cabinet médical sans un regard pour les spécialistes interloqués, comme pour leur signifier que l'affaire était close.

De fait, à part pour Mamina qui adore parler avec des trémolos dans la voix de sa « pauvre petite-fille handicapée », pour nous tous Césarine est « artiste ». Et même mieux, car c'est une « artiste » Asperger.

Pour ceux qui n'ont pas vu *Rain Man* et qui ont la flemme d'aller chercher sur Wiki, disons pour faire court que ma sœur est un ordinateur en socquettes qui calcule, mesure et retient tout ce qui a rapport aux chiffres. Par contre, elle est « légèrement » asociale et elle a l'imagination d'une huître (ce qui fait que je peux lui refiler mes devoirs de maths mais qu'il vaut mieux que j'évite de lui demander de faire mon français lorsqu'il s'agit de poésie).

Césarine prend tout au premier degré et ne comprend rien aux métaphores ; un jour, elle a refusé d'aller à l'institut car papa avait dit que la nouvelle éducatrice était une casse-pieds. La pauvre Césarine était persuadée qu'elle allait lui briser les orteils avec un marteau.

J'ai peur que, si un jour un pauvre type amoureux lui déclare qu'il « brûle d'amour pour elle », il la voie illico débarquer avec un extincteur !

D'ailleurs, si vous voulez la faire flipper, il suffit de lui montrer le tableau de Magritte, celui avec une pipe où il est écrit « Ceci n'est pas une pipe ». Pour elle, c'est tellement illogique que ça la rend dingue.

En revanche, même si ma sœur accepte désormais d'aller suivre des cours dans un institut, et ne hurle (presque) plus quand on la touche, elle reste bourrée de manies bizarres.

Par exemple, elle commence toujours ses livres par la page 22, ce qui est un peu gênant pour les contes car elle ne peut pas les lire.

Mais bon, à sept ans elle est capable de retenir des bouquins que même certains adultes ne comprennent pas, alors on peut lui pardonner ses petites manies.

Là où elle est vraiment zarbi, c'est qu'elle ne regarde jamais la télé.

Vous en connaissez, vous, des gosses de cet âge qui ne regardent pas la télé ?

Moi non, aucun !

Les médecins nous ont expliqué que la télé lui apportait trop de sensations, d'images, de sons et d'informations en même temps. C'est très angoissant pour ma sœur car elle n'a pas le temps de comprendre, d'analyser, de mémoriser quelque chose que déjà, une centaine de nouvelles infos lui explosent au visage.

Lorsqu'elle se retrouve devant un écran, elle se met à buguer comme un ordi saturé : ses yeux se mettent à regarder dans le vide et elle se balance en chantonnant ou en comptant.

C'est flippant, mais les médecins nous ont expliqué que c'était sa manière à elle de mettre à distance ce qu'elle n'arrivait pas à gérer et qui l'angoissait.

D'où le GPS vivant dans le camion… et je peux vous assurer que sur 387 km, c'est juste insupportable !

Heureusement, le camion a fini par arriver chez papi et mamie et ça, c'était la bonne nouvelle de la journée. Surtout après 4 h 47 passées avec GPS *girl* !

– STOP ! criai-je à maman dès l'apparition de l'allée menant au domaine.

Maman, surprise, pila d'un coup.

– Non mais ça ne va pas, Auguste ! Qu'est-ce qui te prend de hurler comme ça ?

– Désolé maman, mais j'en ai marre d'être assis, je préférerais finir à pied si ça ne t'embête pas.

Maman haussa les épaules et me fit signe que je pouvais y aller.

– Si ça t'amuse, pas de souci mon grand.

Je sautai du camion sans attendre et claquai la portière avant que ma sœur n'ait l'idée de venir avec moi.

Pour tout dire, si j'avais envie d'être un peu seul, j'avais aussi besoin de me réapproprier les lieux. Car la nouveauté, c'est que pour la première fois, je venais à La Commanderie… en tant que propriétaire.

À la mort de papa, j'avais eu la surprise de découvrir chez le notaire qu'une tradition familiale rendait l'aîné des Mars propriétaire de La Commanderie à la naissance de son premier enfant. Ainsi papa en avait hérité à ma naissance et sa mort avait automatiquement fait de moi le nouveau maître des lieux. Papi et mamie en étaient juste usufruitiers... un mot compliqué pour dire qu'ils pouvaient y vivre jusqu'à leur mort.

En gros, c'était chez moi... mais ils y étaient comme chez eux. Un truc pratique empêchant que la propriété soit vendue et expliquant certainement pourquoi notre famille n'avait pas quitté les lieux depuis le XIIIe siècle.

N'empêche que ça me faisait tout drôle de me dire que chaque arbre, chaque pierre, chaque mètre carré de forêt était à moi. Ça faisait une sacrée responsabilité et je n'étais pas certain d'être prêt à l'endosser.

Les mains dans les poches, je longeais la longue allée de chênes centenaires en shootant dans les glands parsemant le chemin. Le sol craquait sous mes pas et une odeur caractéristique d'humus et de sous-bois m'envahit en me rappelant les longues heures d'automne que j'avais passées avec mon père à la recherche d'hypothétiques champignons pendant que papi nous suivait en apprenant le nom latin de chaque plante à Césarine.

Il fallait que je pense à autre chose.

Je n'avais pas rapatrié toute ma famille ici pour me mettre à renifler au moindre souvenir.

La lumière commençait à baisser mais j'étais presque arrivé. Les chênes de l'allée venaient de laisser place à de majestueux ifs plantés là au XIXe siècle par un ancêtre amoureux de la Toscane, et le parc avait remplacé la forêt.

Déjà, au loin, j'apercevais les murs de pierre blonde percés de fenêtres à meneaux de La Commanderie. Si à l'origine, quatre bâtiments massifs entouraient une cour rectangulaire pour résister aux assauts des bandes armées qui parcouraient la région, de nos jours La Commanderie était un bâtiment en U, équilibré et élégant.

La transformation datait de la Renaissance où un des côtés avait été ouvert sur le parc pour permettre aux Mars de profiter des jardins gagnés sur la forêt à la même époque.

La légende familiale disait que chaque plante de ces jardins avait été rapportée directement de l'étranger par un de mes ancêtres... mais je soupçonnais papi et mamie de dire ça pour expliquer leur refus de creuser une piscine.

Le jour tombait et les toits de tuiles ocre semblaient flamber sous la lumière déclinante du soleil qui projetait dans la cour l'ombre de la grande cheminée de la bibliothèque.

Je m'arrêtai pour contempler un instant ce spectacle féerique. Les profs ont beau nous parler de l'Histoire avec un grand H, il n'y avait qu'ici que je mesurais vraiment le poids, l'emprise de l'Histoire sur l'homme.

La Commanderie n'était pas un château, ni même un lieu historique à proprement parler, c'était juste une grosse ferme templière fortifiée, mais tout y était si bien conservé que j'avais toujours eu l'impression de franchir un portail spatio-temporel en y pénétrant.

Peu pressé d'arriver, je décidai de quitter l'allée principale et m'engageai sous les frondaisons du jardin ouest.

Le jardin anglais, le plus sauvage, le préféré de mamie… et le mien aussi.

Comme toujours, la fontaine moussue glougloutait sur les carpes koï en diffusant son clapotis dans le crépuscule. J'inspirai à pleins poumons pour m'imprégner des milliers de parfums dégorgés par les jasmins, la glycine et les roses anciennes et me glissai à travers la charmille pour atteindre le petit chemin de traverse qui, je le savais, me mènerait directement à la porte-fenêtre de la bibliothèque.

J'étais chez moi, et j'arrivais comme un voleur ; probablement parce qu'il m'était encore impossible d'accepter l'évidence.

La Commanderie n'était à moi que parce que mon père n'était plus là.

Et ça, c'était insupportable.

cauchemar

J'adore mes grands-parents, mais nous étions tellement fatigués que nous sommes allés nous coucher quasi directement.

Et c'est là que les rêves ont commencé !

D'abord, j'ai entendu une petite voix qui égrenait des chiffres d'une voix mécanique :

– 387, 386, 385…

Tout autour de moi défilaient de grands arbres aux branches surchargées de livres se balançant mollement comme des fruits trop mûrs tandis que des nuages menaçants et un vent de fumée s'élevaient dans le lointain.

J'avançais au milieu de cette forêt d'arbres-livres quand tout à coup, j'ai aperçu papa, habillé en jardinier, qui me tendait une bêche.

Je voyais bien qu'il essayait de me dire quelque chose, mais j'avais beau marcher, je ne me rapprochais jamais assez pour l'entendre.

Je tendais l'oreille, mais la voix qui égrenait les chiffres couvrait les paroles de mon père.

– 267, 266, 265…

Les yeux de papa étaient doux, son sourire était tendre et triste mais son visage semblait tendu, comme si son message recelait une urgence capitale.

Sauf qu'à cause de la petite voix agaçante, je voyais ses lèvres bouger, mais je n'entendais toujours rien.

– 162, 161, 160…

Les gros nuages noirs s'étaient rapprochés, l'orage s'apprêtait à éclater et, dans l'air électrique, les branches des arbres s'agitaient furieusement tandis que des centaines de feuilles s'arrachaient des ouvrages et s'envolaient en tourbillonnant.

Fouetté par le vent, je n'arrivais plus à avancer et je luttais pour ne pas me réveiller avant d'avoir saisi le message de papa.

C'était à hurler de rage.

Mon père était à peine à quelques mètres, il me tendait sa bêche d'un air absolument désespéré en articulant de plus en plus vite et tout ce que j'entendais, c'était :

– 55, 54, 53, 52…

Et puis, d'un seul coup, au moment où je n'y croyais plus, la voix est arrivée à 22 et elle s'est enfin tue.

Je me suis réveillé en sursaut dans le vieux lit de papa, trempé de sueur et le cœur battant la chamade. Mais j'avais réussi à entendre le message de papa :

« Tu es le nouveau Gardien. Trouve la chapelle. Trouve le trésor. »

journal de Césarine

Nous avons fait 387 km dont 311 d'autoroute, 63 de nationale et 13 de départementale.

Nous avons consommé 45 litres d'essence.

Nous avons mis 4 h 47 pour arriver chez papi et mamie.

Le camion contenait 32m^3, soixante-trois grands cartons et trente-sept petits.

J'ai compté toute la journée, mais je sens que ma tête est trop lourde et j'ai du mal à respirer.

Je suis couchée sous le lit de mon frère parce que ça me rassure. Il dort mais il doit faire un cauchemar parce qu'il bouge beaucoup.

Je vais recompter les kilomètres d'aujourd'hui sur mon cahier pour effacer la journée.

Donc :

387-386-385-384-383-382-381-380-379-378-377-376-375-374-373-372-371-370-369-368-367-366-365-364-363-362-361-360-359-358-357-356-355-354-353-352-351-350-349-348-347-346-345-344-343-342-341-340-339-338-337-336-335-334-333-332-331-330-329-328-327-326-325-324-323-322-321-320-319-318-317-

316-315-314-313-312-311-310-309-308-307-306-305-304-303-302-301-300-299-298-297-296-295-294-293-292-291-290-289-288-287-286-285-284-283-282-281-280-279-278-277-276-275-274-273-272-271-270-269-268-267-266-265-264-263-262-261-260-259-258-257-256-255-254-253-252-251-250-249-248-247-246-245-244-243-242-241-240-239-238-237-236-235-234-233-232-231-230-229-228-227-226-225-224-223-222-221-220-219-218-217-216-215-214-213-212-211-210-209-208-207-206-205-204-203-202-201-200-199-198-197-196-195-194-193-192-191-190-189-188-187-186-185-184-183-182-181-180-179-178-177-176-175-174-173-172-171-170-169-168-167-166-165-164-163-162-161-160-159-158-157-156-155-154-153-152-151-150-149-148-147-146-145-144-143-142-141-140-139-138-137-136-135-134-133-132-131-130-129-128-127-126-125-124-123-122-121-120-119-118-117-116-115-114-113-112-111-110-109-108-107-106-105-104-103-102-101-100-99-98-97-96-95-94-93-92-91-90-89-88-87-86-85-84-83-82-81-80-79-78-77-76-75-74-73-72-71-70-69-68-67-66-65-64-63-62-61-60-59-58-57-56-55-54-53-52-51-50-49-48-47-46-45-44-43-42-41-40-39-38-37-36-35-34-33-32-31-30-29-28-27-26-25-24-23-22.

Maintenant je m'arrête parce que je n'aime pas les chiffres qui sont entre 22 et zéro.

papi et mamie

– Tu en fais une tête mon canard. La nuit a été difficile ? Je t'ai entendu bouger un bon moment avant de m'endormir, me dit mamie en glissant ses doigts à travers mes cheveux ébouriffés.

Je ne lui ai pas vraiment répondu (à moins que « grummpff » puisse être considéré comme une réponse), mais ça ne l'a pas empêchée de continuer son monologue tout en me préparant mon petit-déjeuner.

– C'est Césarine qui t'a empêché de dormir mon poussin ? Je l'ai entendue compter. Tu sais qu'il ne faut pas lui en vouloir à notre artiste. Avec la mort de votre papa, le déménagement et le voyage, ça fait beaucoup de ses repères qui disparaissent. C'est difficile pour elle de tout gérer.

Devant son coup d'œil appuyé, j'ai compris que mamie allait se mettre en mode psy et que j'avais tout intérêt à répondre quelque chose si je ne voulais pas subir une analyse plus profonde.

– Nan, c'est pas Césarine. J'suis juste crevé. Ça ira mieux demain, ai-je ajouté avec mon sourire numéro six (celui qui veut dire « lâche-moi la grappe »).

Bon, à défaut de convaincre mamie, cette conversation avait au moins eu l'avantage de m'apprendre d'où venait cette satanée voix qui m'avait pourri mon cauchemar.

De l'autre côté de la table, papi lisait son journal en tentant d'ajouter discrètement un sucre dans son café sans que mamie s'en aperçoive.

C'était perdu d'avance.

– Georges ! Lâche ce sucre immédiatement, lui a lancé mamie sans même se retourner.

Papi a sursauté et, devant son air penaud de petit garçon pris la main dans le sac, j'ai failli éclater de rire.

J'adore papi et mamie. Ils sont tellement différents de Mamina qu'on pourrait croire que Dieu les a créés pour servir de contre-exemple genre « ce qu'il faut faire/ ce qu'il ne faut pas faire quand on est grands-parents ».

Comment vous les décrire ?

Vous voyez le Père Noël Coca-Cola et Mamie Nova ?

Eh bien c'est eux !

Cheveux blancs neigeux, petites lunettes cerclées de métal, la peau ridée mais claire et douce comme des galets polis par les vagues, le sourire au coin des yeux et l'oreille attentive comme seuls des grands-parents savent le faire.

C'est un couple bizarrement assorti mais totalement fusionnel.

Ils se sont rencontrés dans les années soixante sur les bancs de la fac mais se croisaient sans se calculer car ils n'étaient pas du même bord. La légende familiale retient que leur premier contact fut un peu houleux car mamie manifestait pour le droit à la contraception tandis que papi était dans le camp d'en face !

Il paraît que, quand la garde mobile est arrivée, papi s'est précipité pour protéger mamie qui se faisait tabasser (le fonctionnaire des forces de l'ordre n'avait pas apprécié d'être traité de phallocrate nazi) et qu'il ne fallut pas longtemps à mamie pour lui faire comprendre l'intérêt de la plus grande liberté réclamée par les femmes (à papi bien sûr, pas au flic...).

Bref, six mois plus tard, ils se mariaient à l'église pour faire plaisir à papi, et mamie débarquait à la cérémonie le ventre en avant dans une robe moulante, pour emmerder le curé !

Papa naissait trois mois plus tard.

Depuis ils sont toujours aussi amoureux, même s'ils passent leur temps à se chamailler.

Aujourd'hui, ils sont à la retraite, même si papi dit qu'avec mamie le mot retraite lui évoque plus la bérézina que le repos du guerrier ; mais avant ils étaient tous les deux profs d'université : mamie en psycho, papi en philosophie.

Ce qui est drôle, c'est qu'ils sont à la fois inséparables et différents, comme les deux côtés d'une même pièce.

Mamie est gauchiste, athée, féministe et rêve de voyages tandis que papi est écolo, catholique pratiquant (même si je le soupçonne d'aller à la messe pour être tranquille), un peu vieille France et très casanier.

Leur principal point commun, c'est leur amour pour nous : immense, indéfectible, intangible, magnifique.

La mort de papa, ça leur a fichu un coup.

Je le vois à la manière dont papi se tient un peu plus voûté qu'avant et à la démarche de mamie, plus hésitante, comme s'ils cherchaient tous les deux quelque chose qu'ils auraient perdu par erreur et là, dans la cuisine, je sens bien qu'ils se chamaillent sans conviction, juste pour me faire penser à autre chose.

Le pire, c'est que ça marche.

L'ambiance de la cuisine doit aussi y être pour quelque chose.

Il faut dire qu'elle n'a pas changé d'un pouce depuis que je la connais : de vieux meubles en bois patinés par les ans sont posés sur des carreaux ciment aux arabesques bleues, grises et ocre que j'utilisais quand j'étais petit pour créer les circuits labyrinthiques de mes voitures ; la vieille gazinière, qui nécessite l'usage de longues allumettes pour fonctionner, côtoie un vaisselier regorgeant d'assiettes à fleurs, d'énormes bols bretons avec nos noms dessus, de couverts en argent dépareillés et de verres à moutarde longuement choisis dans les rayons du supermarché pour leurs décors de Tortues Ninjas, de Schtroumpfs ou de dinosaures.

Si j'ouvrais les tiroirs de l'immense table de ferme, je sais que je trouverais les ronds de serviette pyrogravés par papa pour une fête des Mères et les repose-couteaux en pâte à sel que j'avais faits en grande section. Et partout sur les murs, comme les plus précieuses des œuvres d'art, toutes nos créations : la main en plâtre de Césarine et ses dessins bizarroïdes de bonshommes aux yeux violets, une guirlande de pommes de pin et de glands, un masque en papier mâché et des dizaines de peintures, pochoirs, collages de toutes les couleurs offerts pour des anniversaires, des fêtes et des Noëls.

J'ai beau avoir quatorze ans, j'adore venir ici car rien n'y change jamais.

– Tiens, je suis sûre qu'Auguste est d'accord avec moi. N'est-ce pas mon chaton ? me lança tout à coup mamie.

– Heuuuu… (Réponse intelligente)

Je n'avais rien écouté mais je savais tout de même qu'il ne faut JAMAIS prendre parti dans les disputes entre papi et mamie, donc je bottai en touche :

– Il serait peut-être temps de vider le camion ?

Regard torve de mamie qui ne fut pas dupe et clin d'œil de papi qui en profita pour chiper un autre morceau de sucre. Néanmoins, j'avais réussi mon coup : tout le monde se prépara pour le grand déballage, et j'échappai aux questions de mamie sur ma nuit agitée.

Je ne me sentais pas prêt à parler de mon cauchemar, ni de papa et de son énigmatique message à qui que ce soit ; car il avait beau n'avoir aucun sens, j'avais la curieuse sensation que papa m'avait déjà parlé de tout ça, que c'était important… et que j'aurais dû être capable de m'en souvenir.

là où j'aurais mieux fait de m'abstenir

J'avais beau connaître La Commanderie depuis ma naissance, je la regardais d'un autre œil en sachant qu'elle allait devenir « la maison », c'est-à-dire le lieu où nous allions vivre tous les jours de l'année, et pas seulement le refuge des vacances.

J'avais un peu peur que ce qui faisait les atouts de La Commanderie et que nous adorions l'été – c'est-à-dire l'isolement, le calme, le parc, l'espace – devienne vite de gros défauts au quotidien : l'absence de copains, les trajets scolaires, la ruralité, l'entretien… bref, tout un tas de galères marrantes pour deux mois, mais insupportables à long terme quand on a quatorze ans.

J'allais en parler à maman, mais quand j'ai vu son visage lumineux et ses yeux brillants, j'ai remballé mes inquiétudes : je pouvais me refaire des copains et prendre le bus, mais je ne pouvais pas réparer à moi tout seul le désespoir de ma mère.

Si vivre à la campagne lui redonnait le sourire, je saurais bien m'adapter !

L'installation fut rapide.

Pas difficile de prendre ses marques dans la maison de son enfance ; nous avions tous nos chambres, nos lits étaient faits et, comme La Commanderie était déjà très bien équipée, nous avons mis les meubles et les trois quarts des cartons dans la remise. Nous avions même décidé de ne déballer aucune des affaires de papa et de garder ce moment douloureux pour plus tard. La totalité de ses livres et du contenu de son bureau était donc allée rejoindre les cartons dans la remise.

C'était mieux pour tout le monde, si bien qu'au début on aurait même pu avoir l'illusion d'être en vacances.

C'était un leurre bien sûr vu que, dès lundi, il fallait que je retourne au collège avec tout ce que cela supposait : nouveaux profs, nouvelle classe, et aucun copain pour me soutenir dans l'épreuve ; tout ça en plein milieu d'année… une certaine définition de l'enfer !

Vous ne vous rendez certainement pas compte, mais le collège, c'est la jungle !

Si tu n'as pas les bons codes : t'es mort ; si tu n'as pas les bonnes fringues : t'es mort ; si tu n'as pas la bonne coupe de cheveux : t'es mort ; si tu parles aux mauvaises personnes : t'es mort aussi.

Impitoyable !

Du coup, là, je flippais grave.

Le seul point positif, c'était que maman ne pourrait plus me coller la honte : j'allais dans le privé et elle dans le public.

« C'est toujours ça de gagné », pensai-je en regardant avec tendresse son visage concentré sur la route pendant qu'elle me conduisait à mon nouveau bahut.

Elle dut sentir mon regard et se méprendre sur mon silence, car tout à coup elle se mit à essayer de me réconforter.

– Ne t'inquiète pas mon poussin, tout va bien se passer, tu vas voir. Tu vas te faire plein de nouveaux copains.

– Ben voyons, c'est sûr qu'ils n'attendent que moi. Et puis arrête de me parler comme si j'avais six ans, s'te plaît.

– Avec un peu de chance, tu vas retrouver Bartolomé. Il n'était pas inscrit à Sainte-Catherine ?

Là, j'ai carrément levé les yeux au ciel en soupirant.

– Maman ! Bart c'était mon pote quand j'avais sept, huit ans. On a joué ensemble quelques étés avant que sa mère refuse qu'il vienne à la maison parce qu'elle avait peur qu'on « dévergonde » son fils ; tout ça parce que mamie m'avait acheté un tee-shirt « I love Lénine » et m'avait appris les paroles de L'Internationale.

Maman était morte de rire, il faut dire qu'il y avait de quoi. Je me souviens encore de la tête de la mère de Bart, cette grenouille de bénitier complètement facho, quand elle avait vu son louveteau B.C.B.G. brandissant une faucille en plastique en braillant : « C'est la luuute finaaaale ! »

Un grand moment !

Malheureusement, si mon copain Bart avait suivi l'orientation familiale, j'avais bien peur qu'il me soit impossible de renouer avec lui.

Déjà qu'à sept ans, j'avais de l'urticaire quand j'entendais sa mère balancer de sa voix pincée : « Auguste, pouvez-vous me dire quelles sont les raisons qui poussent votre père à accepter que des gens du voyage s'installent sur vos terres ? » ; alors, aujourd'hui, j'avoue que je préférais rester le plus loin possible de cette mégère.

Mais mon problème actuel était tout autre car maman, en boucle sur cette vieille histoire, s'était mise à chanter, mal, L'Internationale… et qu'on s'approchait du collège.

– C'est bon maman, baisse d'un ton s'te plaît. Me colle pas la honte le premier jour, la suppliai-je avec un regard désespéré.

Heureusement, son amour maternel a fini par l'emporter sur son envie de chanter et j'ai pu m'approcher de Sainte-Catherine avec un minimum de discrétion.

Tant qu'à déclencher une émeute, autant que ce soit par mon charme irrésistible.

Il faut dire qu'en prévision de cette rentrée, j'avais mis le paquet : tenue BG logotée à mort, avec tellement de chevaux et de drapeaux brodés qu'on aurait pu organiser un concours hippique ; chevelure savamment coiffée, décoiffée, gelée ; iPod 5 avec casque Beats bien en évidence autour du cou et une demi-bouteille du déo qui attire les filles dans la pub (j'ai le droit de rêver !!).

Une tuerie je vous dis.

Dans mon ancien collège parisien, les filles se seraient évanouies sur mon passage (enfin disons qu'elles se seraient vaguement retournées, mais c'est tout comme) alors ici, à plouc ville, j'imaginais faire autant d'effet que David Guetta dans un bal de province.

Le flop a été total.

Non seulement je n'ai pas provoqué l'effet recherché, mais en plus j'ai réussi à me mettre à dos le pire prof de tout le collège.

Certes, tout le monde m'a regardé m'avancer dans la cour ; mais genre, tout le monde en même temps, dans un silence de mort suivi de milliers de petites conversations… mais pas avec moi.

Je suis resté tout seul, comme un con, pendant que les langues se déchaînaient à mon propos.

J'avais l'impression d'être Poisson (le poisson rouge de Césarine), quand les gamins des copines de ma mère s'agglutinent autour de son bocal pour l'observer !

Comme je ne savais pas trop où aller, je suis resté planté près de l'accueil et, pour me donner une contenance, je me suis vissé mon casque sur les oreilles et j'ai enclenché mon iPod.

AC/DC, *Back in Black* à fond.

Je planais, les yeux fermés, porté par le légendaire solo de batterie de Phil Rudd, quand j'ai senti qu'une main m'arrachait mon casque.

Vous auriez fait quoi vous ?

Moi, par réflexe, j'ai chopé le poignet et fait une clé de bras au voleur tandis que je lui balayais les jambes et récupérais mon bien.

Sauf que le bras en question était couvert d'une manche en tweed, et que les jambes portaient un pantalon à pinces surplombant d'élégantes chaussures à boucles bien cirées.

À la seconde où je mettais mon agresseur à terre, mon cerveau enregistrait ces détails et je pensai : « Ils s'habillent bizarrement les élèves dans ce collège. »

Ce n'était pas un élève, mais un adulte visiblement furieux de se retrouver assis sur le gravier au milieu d'un troupeau de collégiens morts de rire…

– Heuuuu… Excusez-moi monsieur, ai-je dit en lui tendant la main pour l'aider à se relever.

L'homme a ignoré ma main et s'est redressé le plus dignement possible en me lançant un regard noir.

– Vu que nous n'attendons aucune exhibition de catch aujourd'hui, je présume que vous êtes Auguste Mars, notre nouvel élève de troisième 4 ?

À part « Oui monsieur », je n'avais pas grand-chose d'autre à répondre.

– Je ne sais pas ce que l'on vous a inculqué dans votre collège parisien, mais sachez qu'ici, monsieur Mars, la violence est motif d'exclusion et que les baladeurs sont interdits, a-t-il ajouté en m'arrachant mon iPod des mains.

– Mais…

– J'ajoute qu'il est souhaitable d'attendre d'avoir la parole pour s'exprimer, et que la première des politesses est de ne pas couper un adulte pendant qu'il parle.

Devant son sourire pincé et son regard sadique, j'ai préféré me taire et attendre la suite de son discours.

– Néanmoins, en tenant compte du fait que vous venez juste d'arriver et des « circonstances particulières » de votre présence parmi nous, je ne tiendrai pas compte de votre écart de conduite. Mieux, ajouta-t-il avec les yeux brillants de haine, je vous invite à venir passer une heure dans mon bureau après les cours pour pouvoir recopier le règlement, et ainsi éviter tout nouvel incident lié à votre ignorance.

J'allais ouvrir la bouche pour protester quand il m'arrêta d'un geste.

– Première consigne : quand je vous parle, ne répondez rien d'autre que « Oui monsieur » et je vous déconseille fortement de chercher à justifier votre inqualifiable attitude.

J'aurais bien aimé lui dire le fond de ma pensée, mais devant son regard implacable, j'ai préféré lâcher l'affaire et baisser les yeux jusqu'à ce que ses chaussures bien cirées disparaissent de ma vue... pour être aussitôt remplacées par une paire de tennis si miteuse qu'il était impossible d'en deviner la couleur.

– La vache, t'es sacrément couillu toi ! Te cogner Le Négrier dès ton premier jour, c'est du jamais vu !

La voix provenait du propriétaire des tennis, un petit mec maigrichon super mal sapé.

– Salut, moi c'est Robert, mais ici tout le monde m'appelle Néné... rapport aux roberts, ajouta-t-il en s'empoignant la poitrine des deux mains.

Devant mon air halluciné, il a dû penser que je n'avais pas compris l'allusion car il s'empressa de préciser.

– Les roberts et les nénés, c'est des mots d'argot pour les seins des meufs ; comme les nibards quoi. Donc Robert, Néné. Tu piges ? ajouta-t-il en lâchant un de ses pectoraux pour me tendre la main.

J'ai saisi ses doigts crasseux en me demandant sur quel drôle de loustic j'étais encore tombé.

Je ne veux pas avoir l'air snob, mais le Robert en question semblait tout droit sorti d'un almanach de l'agriculteur des années cinquante : pantalon en velours maronnasse à bretelles, chemise à carreaux rouge et noir, gilet en laine informe, et la même coupe de cheveux que Jacquouille la fripouille dans le film *Les Visiteurs*.

Comme à chaque fois que je suis surpris, j'ai dit un truc idiot :

– C'est qui ton coiffeur ?

– Ah, ouais, c'est sûr que c'est pas tendance, a-t-il répondu en passant la main dans sa coupe au bol. Mais c'est Pépé qui coiffe toute la famille, et comme il a plus la main très sûre, il coupe autour d'une casserole pour pas trop déraper.

Effectivement, dit comme ça, je comprenais mieux l'origine du désastre et je notai de bien vérifier les talents du coiffeur du village avant de m'y aventurer.

– Dis donc, c'était quoi ce truc que tu lui as fait au Négrier pour lui coller le cul par terre ?

– Du jiu-jitsu, c'est un sport de combat asiatique. J'en fais depuis que je suis tout petit. Mais sur ce coup-là, je pense que c'était pas une bonne idée.

– Tu m'étonnes !

– C'était qui ce type au fait, et pourquoi vous l'appelez Le Négrier ?

Robert semblait hésiter entre le fou rire et l'apitoiement, mais la pitié dut prendre le dessus car il a fini par se décider à me répondre.

– Disons, pour faire court, que Le Négrier fait référence aux salauds qui achetaient, vendaient et dressaient des esclaves avant la Révolution.

– Si je suis ta logique, les esclaves, c'est nous ?

– T'as pigé mec, et à partir de maintenant, c'est certainement ton pire ennemi.

– Ça craint...

– Et comme c'est aussi le dirlo et notre prof principal...

– N'en rajoute pas, je crois que j'ai deviné : je suis dans la merde ?

– Si ça peut te consoler, sache que tu es mon héros ! Jusqu'à ta magnifique démo de jiu-jitsu, c'était moi le souffre-douleur du Négrier et, comme j'ai l'impression que tu viens de me piquer la première place dans son cœur… je t'en dois une, mec ! m'annonça-t-il en me tapant dans le dos.

La cloche se mit à sonner sur cette démonstration d'amitié virile et je me précipitai à la suite de Néné pour rejoindre ma classe.

Je ne le savais pas encore, mais en l'espace de quelques minutes, je venais de rencontrer deux des personnes qui allaient transformer ma vie : celui qui deviendrait mon meilleur ami et, pour mon plus grand malheur, le pire de mes adversaires !

les trois mousquetaires

Normalement, rien ne ressemble plus à une classe de collège qu'une autre classe de collège : un tableau, noir ou multimédia, suivant les ressources de l'établissement ; des bureaux et des chaises plus ou moins propres, en fonction de la sévérité de l'application du règlement ; des murs plus ou moins décorés, selon la motivation du prof.

Mais là, j'avoue que je ne m'attendais pas à découvrir une salle comme celle dans laquelle j'entrai ce matin à la suite de mon nouveau pote autoproclamé.

En même temps, j'aurais dû m'en douter en voyant l'enthousiasme avec lequel Néné décrivait le prof.

– Tu vas voir, monsieur DeVergy c'est le plus cool de tous les profs du monde. Même que c'est à cause de lui que j'ai acheté un livre cette année.

Comme je n'avais pas l'air plus étonné que ça par sa révélation, Néné s'est senti obligé d'ajouter :

– Tu ne te rends pas compte. Moi, Néné, le roi des dyslexiques, le champion des dysorthographiques, le disqualifié de la lecture… j'ai acheté un LIVRE. Même que personne m'avait forcé ni rien, ajouta-t-il avec l'air du type qui vient de découvrir, avec incrédulité, que le Père Noël existait pour de vrai...

– T'en fais pas un peu trop, Néné ? Un prof, c'est un prof ; il est peut-être un peu moins rasoir, ou un petit peu plus drôle que les autres, mais de là à en parler comme le Zlatan Ibrahimovic de l'éducation... tu pousses un peu.

Il faut dire que les profs et moi, ça n'a jamais vraiment été le grand amour.

Non pas que je sois mauvais, ce serait même plutôt le contraire, mais leur esprit étroit m'a toujours révolté.

Ce grand désamour a débuté très tôt, lorsqu'une maîtresse coincée de maternelle m'a refusé le droit de faire mes bonshommes comme je le souhaitais.

« Mais non, mon petit Auguste », me susurrait-elle en déchirant mes dessins, « un joli bonhomme doit avoir deux jambes bien à leur place, et seulement deux oreilles. Une de chaque côté de la tête... Comme ça, regarde », ajoutait-elle en réalisant un modèle désespérant de normalité.

Évidemment, comme je m'obstinais à faire mes bonshommes avec des oreilles sur le ventre et des pieds sur la tête, cette peau de vache avait convoqué papa et maman devant le psychologue scolaire.

Comme toujours, mes parents avaient été géniaux.

Ils avaient consciencieusement admiré mes dessins et patiemment écouté le psy et la maîtresse en hochant la tête, avant de se tourner vers moi.

Je m'attendais à me faire gronder, mais pas du tout.

« J'adore ton approche de l'autoportrait, mon poussin », m'avait félicité maman en me faisant un clin d'œil. « Ce style à mi-chemin entre Picasso et les surréalistes est très prometteur », avait-elle ajouté en tendant mon dessin à bout de bras pour l'admirer comme si c'était la plus belle des œuvres d'art.

Mon père s'était alors tourné vers le psy et, de sa voix la plus sérieuse, avait déclaré : « Auguste est un garçon très créatif, il a de nombreuses idées qui lui trottent dans la tête et, comme il est en pleine croissance, il a toujours faim. Je pense que c'est pour cela qu'il dessine des bonshommes avec des pieds sur la tête et des oreilles autour du ventre ; il aide ses idées à avancer plus vite et reste à l'écoute de son estomac. »

Devant tant d'assurance, la maîtresse et le psy en avaient eu le bec cloué et comme l'explication semblait logique, ils m'avaient laissé tranquille un bon moment... Mais mes parents m'avaient tout de même demandé de dessiner des bonshommes tout moches de temps à autre pour éviter les ennuis.

Mes problèmes n'ont malheureusement pas cessé avec cet épisode.

Arrivé en primaire, je n'ai pas arrêté de me heurter au manque d'imagination de mes maîtres et maîtresses qui refusaient, systématiquement, mes rédactions.

Les remarques du style « Pas assez de rigueur », « Ne respecte pas le sujet », « Raconte n'importe quoi pour faire son intéressant » revenaient régulièrement sur mes bulletins scolaires.

Tout ça parce que je me permettais d'embellir un peu leurs sujets pourris.

Non mais, franchement, qui s'éclate en rédigeant une énième rédaction sur un intitulé du genre « Raconte un épisode de tes vacances » ?

Pour que ce soit plus fun, je racontais mes combats à mains nues avec un requin-marteau ou une pieuvre géante, en insistant sur le sang chaud qui giclait et la sensation visqueuse de mes doigts s'enfonçant dans les yeux de l'animal ; ou bien je décrivais avec méticulosité comment j'avais recousu mes viscères avec une arête de poisson et un cheveu de sirène... C'était quand même cool, non ?

Devinez...

Je suis retourné chez le psy et, malgré le soutien de ma famille, j'ai appris à rédiger des niaiseries du style « Je me suis promené sur la plage en mangeant une délicieuse glace à la fraise. » Heurk...

De toute façon, dès le primaire, je ne me faisais plus d'illusions sur le système éducatif. J'avais compris le principe et je lui avais même donné un nom : le principe du « moule ».

Laissez-moi vous l'expliquer :

Pour l'école, il y a un modèle de référence, c'est ce que j'appelle le « moule », et le rôle des profs... c'est de te faire entrer dedans.

Si tu es trop petit pour leur moule, ils te gonflent et te gavent jusqu'à ce que tu le remplisses.

Si tu es trop grand et que tu dépasses de leur moule, ils te plient, te tassent jusqu'à ce que tu t'adaptes.

Inutile de préciser que Césarine et moi sommes beaucoup, beaucoup trop grands pour correspondre à leurs critères étriqués. Mais heureusement, nous avons tous les deux développé une technique d'enfer pour résister à leur lavage de cerveau.

Pour Césarine, c'est simple. Elle se contente de fixer ses éducateurs avec ses grands yeux vides et attend d'être à la maison pour s'éduquer comme elle le souhaite.

Je pense que personne ne se doute qu'elle est meilleure que moi dans de nombreuses matières et qu'à sept ans, elle a déjà fini le programme de quatrième !

Quant à moi, j'ai développé la technique dite de la « pâte à blurp », nom inspiré de ce truc vert et gluant qui ne colle pas vraiment mais prend la forme que vous voulez et vous glisse entre les doigts.

Je fais pareil avec les profs : je leur dis ce qu'ils veulent entendre à la virgule près et ils me fichent la paix.

Tout ça pour dire que le couplet de Néné sur « le prof le plus cool de la terre » m'avait laissé complètement froid. Je fus d'autant plus surpris en entrant dans sa classe.

– Ouah… la vache, n'ai-je pu m'empêcher de dire en découvrant l'espace délirant qui s'ouvrait devant moi.

– Ça t'en bouche un coin le sceptique, a rigolé Néné en me balançant son coude entre les côtes. Avance un peu ou on va se retrouver au fond.

J'ai passé le seuil sans vraiment savoir où me diriger. En fait, on était plus dans une salle de musée ou de vieille bibliothèque que dans une salle de classe.

D'ailleurs, cette pièce n'en était pas vraiment une au sens classique du terme.

La lumière entrait à flots par une verrière bombée située à plus de dix mètres du sol ; les murs circulaires débordaient de livres que l'on pouvait atteindre en empruntant de délicats escaliers de cuivre ; au sol, des tapis, des coussins, des sofas, de vieilles écritoires, des tables basses semblaient jetés au hasard pour nous accueillir, tandis que de multiples vitrines et étagères exposaient les objets les plus bizarres qu'il m'ait été donné de contempler.

– Ferme la bouche, on dirait que tu vas gober une mouche, me dit Néné en me forçant à m'asseoir sur un énorme pouf.

– Sans déconner, c'est quoi cet endroit ?

– C'est l'ancienne tour d'astronomie du couvent. Je crois qu'elle date du Moyen Âge, ou du XVIe siècle. Ils nous l'ont dit le jour de la rentrée mais tu sais, moi, les dates, c'est pas trop mon truc.

Néné haussa les épaules en faisant la grimace, comme pour souligner sa totale nullité en histoire. J'allais me fendre d'un commentaire ironique quand il détourna finement mon attention.

– Tiens, v'là le prof.

Avec ce décor, je m'attendais presque à voir débarquer le professeur Dumbledore ou Merlin l'Enchanteur, mais en levant la tête, je vis apparaître un jeune type aux cheveux longs, sapé comme une star de rock.

– Sans déconner ! Ça, c'est un prof ?

– Ouais, même que c'est mon dieu et que…

– Je sais, il t'a fait acheter un livre, le coupai-je avant qu'il ne reparte dans son éloge. Mais il est prof de quoi ? Y a une option beau gosse dans le bahut ?

– Mais non, t'es trop con. C'est le prof de français. Même si lui il préfère dire qu'il est « raconteur d'histoires, éveilleur de consciences et agitateur d'expression »... Et me demande pas ce que ça veut dire.

– Et tu vas me faire croire que votre Négrier a embauché un type comme ça à Sainte-Catherine ? Il avait fumé la moquette ou quoi ce jour-là ?

Néné était de plus en plus tordu de rire et j'ai cru qu'il n'arriverait jamais à me répondre. Déjà qu'il n'était pas très beau à voir, le spectacle qu'il donnait en se tortillant sur son pouf était vraiment pitoyable.

Le vrai SAF (ce qui signifie Sans Ami Fixe, pour ceux qui ne comprendraient pas l'expression).

J'allais lui dire de laisser tomber quand il s'est enfin décidé à me répondre :

– C'est ça le plus drôle. Le Négrier n'a pas eu le choix. Les bâtiments de Sainte-Catherine appartiennent à la famille de DeVergy. Quand tu verras la tronche que tire le dirlo lorsqu'ils se croisent dans les couloirs, tu comprendras que la situation est une torture pour lui. Le pire, c'est que DeVergy siège au conseil d'administration et qu'il a un droit de veto... Du coup, c'est la guerre et nous, on compte les points.

Je n'avais aucun mal à croire Néné, car rien n'était plus éloigné du directeur que le type qui s'approchait de nous.

Autant Le Négrier, avec ses cheveux gris gominés, son nez d'aigle et son regard glaçant, semblait tout droit sorti d'un mauvais film d'espionnage soviétique, autant ce prof semblait se préparer à passer le casting d'un énième *Pirates des Caraïbes* mixé avec un film de cape et d'épée : grand, les cheveux longs et bruns, il se déplaçait avec la souplesse d'une panthère et avait les yeux les plus verts qu'il m'ait été donné de voir.

Même ses fringues n'avaient rien à voir avec l'uniforme habituel des profs : chemise blanche entrouverte sur un torse musclé, jean noir déchiré dans des bottes de motard.

Mais le plus incroyable, c'était certainement ses tatouages.

À l'exception du visage, il semblait en avoir sur toute la surface du corps ; chaque centimètre carré de peau laissait apparaître des ribambelles de mots, de lettres, d'idéogrammes.

Ça, un prof ?

J'hallucinais.

– Pince-moi Néné, manquerait plus qu'il soit intéressant et je vais être obligé de retirer tout ce que j'ai pu dire sur l'école.

– Tu parles qu'il est intéressant, mec… Si MOI, j'ai acheté un livre, c'est un signe, non ?

– Putain, t'es lourd avec ton livre. C'était quoi d'ailleurs ?

– Ben, juste un livre quoi, y a que ça qui compte.

Devant son regard fuyant, j'ai compris que j'avais touché le point sensible. J'allais insister, quand le silence autour de nous me fit comprendre que le cours débutait.

– Bonjour à tous. Content de vous revoir après ces quelques jours de vacances. J'espère que vous en avez profité pour lire l'ouvrage que je vous avais conseillé.

Ses yeux hypnotiques passaient sur les élèves comme un rayon laser, et je jure que j'ai entendu des filles soupirer. Je commençais à sourire en me disant qu'il en faisait quand même un peu trop quand son regard s'est posé sur moi.

J'avais l'impression d'être une souris fascinée par un python.

Gloups !

– Auguste Mars… Tout le portrait de ton père au même âge.

J'étais scotché.

D'où est-ce que ce type connaissait mon père ?

J'allais lui poser la question quand j'ai vu qu'il me tendait un livre semblant avoir passé sa vie dans la poche arrière d'un jean, tant il était abîmé.

– Je me doute que tu n'as pas pu te procurer l'ouvrage que nous étudions ce trimestre. Je me suis permis de t'apporter le mien. Prends-en soin, il m'a été offert par quelqu'un qui m'est cher.

J'ai saisi le petit livre, et l'ai retourné pour voir la couverture.

C'était un vieil exemplaire des *Trois Mousquetaires* d'Alexandre Dumas.

J'allais dire au prof de le reprendre, car je l'avais déjà lu, quand une dédicace écrite au stylo rouge sur la première page attira mon attention :

Juin 1990,

Pour d'Artagnan, afin que tu n'oublies jamais l'importance de notre combat.

Ton frère d'armes, Aramis.

Je connaissais cette écriture.

Je ne connaissais même qu'elle.

Et la voir aujourd'hui, ici, dans cette salle, sur ce vieux livre fané, me transperça le cœur.

C'était l'écriture de mon père.

qu'est-ce qu'un livre ?

Le temps que je réalise la portée de ce que je venais de lire et que je relève les yeux, le prof était déjà reparti au centre de la pièce pour débuter son cours.

Un autre exemplaire des *Trois Mousquetaires* à la main, le bras dressé comme s'il souhaitait nous offrir le livre en trophée, il sillonnait la classe tout en nous parlant.

– Qui peut me dire ce que je tiens dans la main ?

La question semblait tellement bête que les réponses fusèrent immédiatement dans une joyeuse cacophonie.

Visiblement, il n'était pas question dans ce cours de lever la main ou d'attendre d'être interrogé ; tous les élèves s'exprimaient en même temps.

– C'est un livre, crièrent de nombreux élèves.

– Un roman, avancèrent d'autres.

– *Les Trois Mousquetaires* d'Alexandre Dumas, lancèrent les plus précis.

– Un truc long à lire qui a gâché mes vacances, ajouta un dernier en déclenchant les rires de ses voisins.

– Bien, répondit DeVergy en baissant le bras. Vous êtes tous d'accord sur l'essentiel ; qu'il soit un roman ou un traité de philosophie, d'Alexandre Dumas ou d'un illustre inconnu, long à lire ou pas, ce que je tiens dans la main est UN LIVRE... Mais qui parmi vous peut me dire ce qu'est RÉELLEMENT un livre ? À part, bien sûr, quelque chose qui vous gâche les vacances... N'est-ce pas, monsieur Brisson ?

– Mate un peu la tête de Kevin, me chuchota Néné, c'te honte, comment il l'a cassé le prof !

J'en conclus que le jeune blondinet qui avait voulu faire le malin et qui était maintenant aussi rouge que sa chemise devait être le fameux Kevin ; mais aussi que le prof avait un sacré sens de l'humour... et qu'il vaudrait peut-être mieux pour moi que j'y réfléchisse à deux fois avant de lui lancer les répliques de la mort qui avaient fait ma réputation.

Manque de bol pour Néné, il n'avait pas chuchoté assez doucement et DeVergy pointait maintenant son regard sur lui.

– Oui, monsieur Clément ? Une idée sans doute ? Faites-nous partager votre point de vue sur la question... Qu'est-ce qu'un livre selon vous ?

Le pauvre Néné se tortillait sur son pouf comme un asticot au bout d'un hameçon le jour de l'ouverture de la pêche, tout en ouvrant et fermant la bouche tel un goujon hors de l'eau.

– Heuuu... ben... un livre c'est... heuu... des feuilles de papier attachées ensemble, avec... heu... des trucs écrits dessus, lança-t-il dans une pathétique tentative de réponse.

– Ce n'est pas faux, lui répondit le prof en souriant à moitié, mais on ne peut pas dire que ce soit l'analyse la plus poussée qu'il m'ait été donné d'entendre. Évidemment, reprit-il d'un ton plus sérieux, en plantant là le pauvre Néné mortifié, il est nécessaire de distinguer deux choses : « l'objet » livre et son contenu. Pour ce qui est de « l'objet », la définition de monsieur Clément est assez exacte.

Sourire de mon pote visiblement très fier de lui.

– Ainsi, votre Wikipédia adoré présente, lui aussi, le livre comme « un document écrit formant une unité et composé de feuilles de papier ou de carton reliées entre elles », tandis qu'il est défini par Littré comme une « réunion de plusieurs feuilles servant de support à un texte manuscrit ou imprimé ». Néanmoins, si l'on cherche à être encore plus précis, on découvre que l'Académie française pousse sa définition encore plus loin et englobe « les différents types d'assemblage de feuilles manuscrites ou imprimées destinées à être lues ; soit, dans l'Antiquité et au Moyen Âge, des suites de feuillets manuscrits réunis en une bande enroulée autour d'un cylindre, ou pliés et cousus en cahiers ; puis, à l'époque moderne, les assemblages de feuilles de papier imprimées, formant un volume relié ou broché ».

Après un moment de pause destiné à nous faire digérer toutes ces informations, le prof reprit tranquillement son discours.

– Vous remarquerez ainsi qu'à la différence des deux premières, cette dernière définition insiste sur la notion de « lecture », ce qui nous pousse à conclure que « l'objet » technique rassemblant des feuilles et des écrits ne devient réellement « un LIVRE » que s'il trouve son lecteur… et donc qu'un livre qui n'est pas lu… n'en est pas un !

C'était à la fois simple et compliqué et comme le reste de la classe, je me surpris à être suspendu à ses paroles tout en contemplant d'un œil différent le petit volume de papier que j'avais entre les mains.

Je comprenais que, quelque part, Alexandre Dumas avait écrit son histoire « pour moi » ; c'était comme si, à trois siècles de distance, je pouvais me pencher par-dessus son épaule et le voir tracer les lignes que je lisais.

J'avoue que je n'avais jamais vraiment réfléchi à ce que pouvait représenter un livre. J'aimais lire, je vivais dans une famille où, à part dans les salles de bains, vous trouviez des livres dans toutes les pièces ; mon père était conservateur dans la plus prestigieuse des bibliothèques de France… et je ne m'étais jamais posé cette simple question : « Qu'est-ce qu'un livre ? »

Bon, vous me direz qu'on peut tout à fait vivre sans.

Certes.

Mais pour une raison inconnue, je sentais que cette question était importante, vitale, cruciale. Le prof avait beau s'adresser à toute la classe, parcourir l'espace en captant le regard de chaque élève, je ne pouvais m'empêcher d'avoir l'impression que son discours n'était prononcé que pour moi.

– Donc, poursuivit DeVergy en embrassant les rayonnages surchargés d'ouvrages d'un regard circulaire, le livre est un objet technique prolongeant les capacités humaines de communication au-delà de l'espace et du temps, qui permet de transmettre du sens selon une forme matérielle particulière, tandis que les techniques de fabrication utilisées pour le concevoir conduisent à en fixer définitivement le contenu. Le livre, c'est l'immortalité d'une pensée, d'une époque, d'un auteur. Le livre nous décrit notre passé, fixe notre présent et préfigure notre futur. Le plus merveilleux, c'est aussi que le livre est universellement reconnu comme tel par des penseurs de toutes les civilisations.

Tout en parlant, le prof avait gravi un des escaliers de cuivre, s'élançant vers les hauteurs de la tour, et il continuait à discourir en longeant les passerelles débordantes d'ouvrages qu'il caressait d'une main légère.

Il y avait tant de douceur dans son geste, tant de passion dans sa voix, tant d'énergie dans sa démarche qu'on aurait dit qu'il étreignait la femme de ses rêves et nous parlait de ses enfants.

À moitié allongés sur nos poufs et nos sofas, les yeux tournés vers le plafond pour pouvoir suivre son ascension, toute la classe buvait ses paroles dans un silence quasi religieux.

C'était... surréaliste, totalement magique, et je comprenais mieux à présent l'enthousiasme de Néné pour cet enseignant hors norme.

– Regardez autour de vous, cette pièce n'abrite qu'une poussière des écrits de l'humanité et pourtant chacun de ces livres ne parle que de l'amour ou du respect des hommes pour l'écriture.

Saisissant tout à coup un volume dans un rayonnage, DeVergy se mit à nous en lire un extrait d'une voix passionnée :

– « Quel trésor représente le livre ! Et quelle indépendance il autorise ! Quel compagnon à l'heure de la solitude ! Quelles munitions il fournit ! Quel éventail d'informations et quel prodigieux spectacle ! Quel compagnon en terre d'exil ! Le livre est un vase plein de savoir, un récipient imprégné de raffinement, une coupe remplie de sérieux et de plaisanterie… Qui donc – mieux que le livre – est à la fois médecin et nomade, byzantin et hindou, persan et grec, mortel et immortel ? Allons plus loin, quand donc as-tu vu un jardin transportable dans une manche, un être qui parle à la place des morts et qui est l'interprète des vivants ? Le livre ne te flatte pas outrageusement, c'est un compagnon qui ne t'ennuie pas. Plus tu te plonges dans la lecture d'un livre, plus ton plaisir augmente, plus ta nature s'affine, plus ta langue se délie, plus ton vocabulaire s'enrichit, plus ton âme est gagnée par l'enthousiasme, plus ton cœur est comblé. Le livre peut se lire partout, son contenu est accessible dans toutes les langues ; malgré les intervalles chronologiques qui séparent les époques, malgré les distances entre les métropoles, il garde sa pérennité. »

Le texte qu'il avait choisi de nous faire partager était clairement trop compliqué pour nous, pourtant il mettait tant de fougue dans sa lecture que nous étions tous envoûtés. Sa passion était trop forte pour ne pas devenir communicative.

– Savez-vous de qui sont ces mots ? De quand date cet extrait ?

Inutile de vous dire que seul le silence fit écho à sa question.

– Ils ont été écrits en arabe par l'Irakien Al-Jahiz à la fin du VIIIe siècle, mais ils portent en eux une vérité universelle… Nous ne pouvons vivre sans livres ! D'ailleurs, n'est-il pas meilleure preuve de ce que j'avance que le fait que l'Histoire est séparée de la Préhistoire par l'invention de l'écriture ? Avant l'écriture, pas d'Histoire, juste l'évolution biologique. Le livre, jeunes gens, est donc l'élément indispensable de la construction de l'humanité. Laissez-moi terminer ce cours par une mise en garde du même Al-Jahiz qui, à treize siècles de distance, reste douloureusement d'actualité.

– « Notre rapport au savoir est fragile. Si nous devions compter uniquement sur nos propres forces et sur le nombre d'idées se présentant à notre esprit, nous aboutirions au résultat suivant : nos connaissances seraient maigres, les projets s'écrouleraient, l'esprit de décision s'évanouirait, l'opinion personnelle deviendrait stérile, les idées perdraient toute valeur, l'énergie intellectuelle s'émousserait et les esprits se scléroseraient. »

À ce moment de sa lecture, le prof, qui n'avait jamais cessé de se déplacer, avait fini par arriver à côté de moi.

– Monsieur Mars, je suis certain que vous pouvez expliquer le sens de ce message à vos camarades, me dit-il alors en me fixant de toute la force de son regard hypnotique.

J'aurais dû être déstabilisé, j'aurais dû bafouiller ou répondre par une pirouette ; pourtant je me rendis compte que je connaissais la réponse, comme si les mots avaient dormi dans mon esprit dans l'attente de ce jour ; comme si chaque événement de ma vie avait été calculé pour m'emmener ici, dans cette école, dans cette salle, avec ce prof, pour que je puisse prononcer les mots qui allaient bouleverser le reste de mon existence :

– La fin des livres signerait la fin de l'humanité.

Je ne suis pas certain que mes camarades entendirent mes paroles car la sonnerie stridente annonçant la fin du cours ponctua ma réponse, mais le sourire de DeVergy me prouva sans l'ombre d'un doute que ma réplique était celle qu'il attendait.

comment se faire de nouveaux amis... ou pas !

Cette première journée de collège s'est terminée à peu près comme elle avait commencé : mal !

Les cours se sont enchaînés sans que je puisse questionner DeVergy sur l'annotation du livre qu'il m'avait donné, et le dirlo m'a chopé avant que je réussisse à m'éclipser discrètement à l'heure de la sortie.

– Vous n'alliez tout de même pas nous quitter en oubliant notre rendez-vous, monsieur Mars ? entendis-je alors que je passais les portes du collège.

Merde !

J'étais fait comme un rat, et je dus me cogner une heure en tête à tête avec Le Négrier pour recopier le règlement intérieur.

Impossible de bâcler le boulot.

Ce type semblait avoir un sixième sens ; dès que je levais la tête pour regarder par la fenêtre, ou juste pour me reposer cinq minutes, j'entendais ses pas dans le couloir et je le voyais débarquer.

– Encore une fois, monsieur Mars. Et insistez particulièrement sur l'article 5, celui qui concerne les violences physiques. Nous ne voudrions pas être obligés de convoquer vos parents dès la première semaine… Pardon, je voulais dire votre maman bien sûr, ajouta-t-il d'un ton fielleux.

Voilà, cette fois-ci c'était clair : ce type était une ordure.

Quand il a fini par me laisser partir, sans mon iPod qui était confisqué jusqu'à « nouvel ordre », j'étais furieux, crevé, et je ne sentais plus mon poignet droit. Évidemment, le collège était désert et le dernier bus était parti.

Je commençais à calculer le temps qu'il me faudrait pour rentrer à pied (et à me dire que j'avais peut-être enfin trouvé le bon argument pour décider ma mère à me laisser avoir un téléphone portable) quand j'aperçus un groupe de jeunes quittant l'aumônerie du collège et se dirigeant dans ma direction.

En tablant sur les lois de la solidarité et sur le fait que j'étais le seul ado de ma connaissance sans portable, je me dis que, finalement, je n'allais probablement pas rentrer à pied.

– Salut les gars. Le Négrier m'a coincé dans son bureau et le dernier bus est parti. Vous pourriez me prêter un téléphone que je demande à ma mère de venir me chercher ?

J'avais dit ça du ton le plus cool possible vu que je ne les connaissais pas et qu'ils avaient l'air plus âgés que moi, mais j'étais tout de même en confiance.

La règle inviolable chez les collégiens, c'est l'union sacrée face à l'ennemi et, comme Le Négrier devait être unanimement détesté, j'étais certain que sous-entendre que je me l'étais mis à dos ne pouvait que me rendre rapidement populaire.

Mais il était écrit que ce n'était pas mon jour…

Le plus grand des quatre s'est planté en face de moi et m'a toisé d'un air mauvais.

– T'as été élevé où toi ? Tes parents t'ont jamais appris qu'on disait « Monsieur le directeur » en parlant d'un supérieur ? Mais non, ajouta-t-il en se tapant le front et en prenant ses potes à témoin, c'est vrai qu'il n'a plus de papa, le pauvre bichon. Il n'a plus que sa môooman pour s'occuper de lui !

Là, j'ai vu rouge ; c'était la deuxième fois aujourd'hui qu'un abruti se permettait de me rappeler la disparition de mon père et j'avais comme l'impression que ce n'était pas par hasard que ces quatre crétins étaient sortis du collège derrière moi.

– J'ai dit « Négrier » parce que ce mec est un connard, mais maintenant que je vous connais, je veux bien l'appeler « Monsieur le directeur du chenil », vu qu'il a l'air de vous diriger comme ses petits toutous, lui ai-je rétorqué sans réfléchir.

Rien que pour voir sa tête, ça valait le coup : vous voyez ces ballons de baudruche qu'on gonfle et puis qu'on lâche d'un coup pour qu'ils s'envolent dans un délicat bruit de pet… pareil !

Lui qui se la pétait devant ses potes s'est tout à coup dégonflé comme un ballon, et son gros visage poupin est devenu blanc comme de la craie.

– T'es tout pâle mon biquet, n'ai-je pas pu m'empêcher d'ajouter, c'est plutôt joli, ça fait ressortir tes boutons d'acné…

Là, pour le coup, il est devenu tout rouge.

Quand j'ai vu ses copains s'écarter, j'ai compris que j'allais m'en prendre une. Mais il n'était pas dit que j'allais me rendre sans panache, d'autant que j'avais les moyens de me défendre. Si ces abrutis pensaient tomber sur une proie facile, ils risquaient d'être surpris.

Non seulement j'appartiens à un club de boxe depuis cinq ans, mais je crois avoir essayé à peu près tous les arts martiaux existants. À l'âge où mes potes collectionnaient les cartes Pokémon, moi, je collectionnais les ceintures ; judo, karaté, taekwondo, full-contact, je crois que je les ai tous essayés, même si mon préféré reste le jiu-jitsu brésilien que je perfectionne depuis mes neuf ans. Je l'ai découvert une année où nous étions allés passer des vacances chez Mamina. Avant, comme tous les garçons de ma classe, je faisais du judo et j'étais assez doué car quand j'étais ceinture jaune-orange, je battais régulièrement les ceintures vertes. Pourtant, quand j'ai découvert le jiu-jitsu brésilien, j'ai su que ce sport avait été inventé tout spécialement pour moi.

Pour ceux qui ne connaissent pas, disons, en gros, qu'au judo, le plus important, c'est de projeter son adversaire au sol et de l'immobiliser, alors que dans le jiu-jitsu brésilien, on se focalise principalement sur le combat au sol et la soumission par étranglement ou par clé. En plus, alors qu'au judo on n'a le droit qu'aux clés de bras ou de coude, au jiu-jitsu brésilien, chaque articulation peut être sujette à une pression douloureuse. Le top pour réduire ses adversaires à l'état de larve, et j'avais adoré le concept. Le seul problème, c'est que si c'est un sport très populaire sur le continent américain, il est encore quasi inconnu en Europe.

Au retour des vacances, j'avais fait une comédie pour pouvoir continuer à pratiquer. Maman n'était absolument pas d'accord, mais papa avait eu le dernier mot et m'avait même trouvé le meilleur des profs : maître Jésus Akitori. C'était le fils d'une danseuse de samba brésilienne (d'où le prénom) et d'un ancien sumotori japonais. Un tel mélange ne pouvait donner qu'un résultat détonnant. Sur le papier, c'était le mariage de la carpe et du lapin, et le jour où il m'avait montré avec fierté la photo de ses parents, j'avais failli en avaler ma langue de stupéfaction. Debout devant mon maître, qui attendait visiblement que je lui fasse part de mon admiration, la seule image qui m'était venue à l'esprit était la scène de *Star Wars* où la princesse Leia est assise à côté de Jabba le Hutt. Typiquement le genre de moment où je sors une ânerie, sauf que j'avais tout de même eu un réflexe de survie en soulignant que sa mère me faisait penser à une actrice de cinéma… Car dire à un maître en arts martiaux que son père ressemble à une grosse limace obèse n'était pas une option envisageable !

Néanmoins, cette union hors norme avait enfanté une machine de guerre. Jésus Akitori condensait la force, la sagesse orientale et la stabilité du sumo, avec la souplesse, le rythme et le zeste de folie d'une danseuse de samba. Une tuerie.

Mais il ne s'était pas contenté de m'enseigner le jiu-jitsu brésilien, il m'avait aussi enseigné des notions de tout un tas d'autres sports de combat plus ou moins connus. Évidemment, je ne suis pas devenu un expert dans chacune de ces techniques, mais j'y ai pioché à chaque fois un ou deux trucs que j'ai adaptés à mon style jusqu'à le rendre vraiment très personnel. En fait, grâce à maître Akitori, je maîtrise à peu près tous les arts martiaux et je suis capable d'envoyer au tapis n'importe quel adversaire.

Du coup, face à ces quatre gugusses, je n'avais pas franchement peur et j'ai préféré commencer par temporiser… d'autant que je m'étais suffisamment fait remarquer pour la journée !

– Attention le rottweiler, selon l'article 5 du règlement, « tout élève reconnu coupable de violences physiques à l'encontre d'un condisciple, au sein ou à l'extérieur de l'établissement, sera passible d'une exclusion immédiate », récitai-je en évitant sans problème sa main lancée à pleine puissance vers mon visage.

– T'as pas de témoin. T'es un homme mort.

Je ne sais pas au juste quel sport de combat ce gros tas était censé pratiquer, mais il manquait singulièrement d'efficacité ; ses coups de poing étaient désordonnés et, malgré leur indéniable puissance, ils n'atteignaient jamais leur but.

L'avantage d'avoir appris les arts martiaux avec le fils d'une danseuse de samba, c'est que j'étais devenu le roi de l'esquive, alors avant que ce gros balourd réussisse à m'effleurer, il risquait de se passer du temps. J'aurais facilement pu l'envoyer au sol, mais je ne voulais pas me faire virer le premier jour. Dans ma tête, je comptais le nombre de points que j'aurais déjà obtenus en compétition. Ce type n'était vraiment pas doué et me laissait plus d'ouvertures qu'une grande surface le premier jour des soldes !

À force de me tourner autour sans m'effleurer, le gros lard soufflait comme un bœuf et je vis le moment où j'allais gagner le combat par « crise cardiaque ».

– Ne restez pas là sans bouger, venez m'aider bande de nazes, cria-t-il à ses amis.

Ses potes semblaient hésiter, mais les deux plus grands finirent pourtant par s'avancer tandis que le plus petit restait prudemment en arrière.

Ils étaient trois contre moi désormais et je commençais à craindre que la situation ne tourne à mon désavantage. Tant pis pour les préceptes de prudence de maître Akitori et l'administration scolaire, il fallait que je passe à l'attaque avant de me faire lyncher, car je sentais que mes mouvements étaient de moins en moins souples, et que mes esquives se ralentissaient dangereusement.

Malheureusement pour moi, alors que je reculais pour lancer mon premier coup, mon pied heurta le bord du trottoir et je m'affalai sur le bitume comme une crotte de caniche.

Merde ! Même si j'étais un pro du combat au sol, je n'avais pas vraiment prévu de m'y retrouver si tôt et surtout sans avoir mon genou enfoncé dans la poitrine d'un de ces types ! Ça, c'était le problème des dojos... ils ne vous préparent pas à vous battre sur un trottoir.

Ces mecs n'ayant pas franchement l'allure de gentlemen qui attendent que vous vous releviez pour entamer le deuxième round, je me recroquevillai en protégeant le plus possible ma tête dans l'attente des coups qui n'allaient certainement pas tarder à pleuvoir. Mais un renfort inattendu stoppa mes adversaires dans leur élan.

– Je peux peut-être vous aider, messieurs ? À quatre contre un homme au sol, ça me semble un peu léger.

Debout dans l'embrasure du portail, un casque de moto sous le bras, DeVergy observait mes agresseurs avec un petit sourire en coin que démentait la froideur de son regard.

– Vous méprenez pas, M'sieur. C'est le nouveau qui nous montrait ce qu'il savait faire en judo et qui a glissé bêtement. Hein les gars, répliqua le gros lard en prenant ses potes à témoin.

– Bien sûr, je n'en doute pas, monsieur Montagues. Comme je ne doute pas que votre camarade confirme votre explication. N'est-ce pas monsieur Mars, vous en pensez quoi vous ? ajouta le prof en se penchant vers moi pour m'aider à me relever.

J'aurais volontiers cafté ces gros nazes qui m'étaient tombés dessus lâchement, mais je savais que c'était impossible. Déjà que j'étais nouveau dans ce bahut, je ne pouvais pas me faire coller une étiquette de collabo dès le premier jour.

J'en connaissais qui s'étaient retrouvés surnommés « cafteurman » pour moins que ça, et ce n'était pas top comme petit nom pour avoir une bonne cote de popularité.

J'ai saisi la main que le prof me tendait et choisi de botter en touche :

– Disons qu'il y a une part de vrai. J'ai effectivement glissé. Par contre, je me dois de corriger certaines allégations mensongères de mes camarades...

Là, j'ai patienté deux secondes, juste le temps de voir leurs têtes d'abrutis se liquéfier pendant qu'ils chiaient dans leur froc à l'idée que je les dénonce.

– Ce n'était pas une démonstration de judo… mais de jiu-jitsu brésilien, lançai-je avec un grand sourire innocent.

Leur soulagement était palpable, mais j'ai bien vu que le prof n'était pas dupe.

– Si vous vous intéressez tant aux sports de combat, venez donc vous entraîner au dojo avec moi demain soir, messieurs Montagues… J'ai souvenir que votre père aussi aimait beaucoup se battre, mais qu'il m'avait fallu lui expliquer certaines règles de courtoisie… comme de ne pas se mettre à quatre contre un adversaire par exemple.

La voix du prof se fit moqueuse tandis qu'il ajoutait :

– Demandez-lui de vous raconter. Si lui ne s'en souvient pas, je suis certain que ses fesses, elles, s'en souviennent encore. Mais, ce n'est pas vous qui feriez une chose pareille messieurs ?

J'ai bien vu que la remarque de DeVergy sur leur père ne leur avait pas plu du tout, et leurs yeux brillants de haine n'auguraient rien de bon pour mon avenir. Mais ce qui m'a le plus déçu, c'est qu'à l'évocation de leur nom de famille, j'ai enfin compris pourquoi le plus petit des quatre me disait vaguement quelque chose : c'était Bartolomé, mon vieux pote de vacances.

Visiblement, mes prédictions s'étaient réalisées… Il était devenu aussi crétin que le reste de sa famille. Du coup, je pouvais mettre un prénom sur chacune de ces faces de pet : le gros lard devait être Bernard-Gui puis en ordre décroissant, Conrad, Guillaume et enfin… mon vieux pote Bartolomé.

Comme le prof n'avait pas l'air de vouloir partir, les frères Montagues tournèrent les talons, apparemment contents de s'en tirer à si bon compte, mais le regard que me lança Bernard-Gui en partant me fit sentir qu'il attendait avec impatience le prochain round. Du regard je lui signifiai que je n'avais pas peur de lui. Il ne se doutait pas à quel point il avait eu de la chance.

Je me promis que la prochaine fois je m'arrangerais pour les croiser plus loin du collège… et que je n'oublierais pas que les règles de bonne conduite du dojo ne s'appliquaient pas dans les combats de rue !

Bart fut le dernier à partir.

Il traînait visiblement des pieds, et son regard semblait chercher le mien. Je n'avais pas franchement envie de regarder ce traître dans les yeux. Pourtant, au moment où il passa à côté de moi, je reconnus le petit air qu'il sifflotait entre ses dents et je ne pus m'empêcher de sourire.

Au final, je n'avais peut-être pas tout à fait perdu mon pote. Je levai la tête juste une seconde pour voir si mes yeux confirmeraient ce que venaient de m'apprendre mes oreilles.

Bingo !

Alors que ses frères s'éloignaient en me tournant le dos, Bart me souriait de toutes ses dents en sifflotant doucement L'Internationale !

J'allais tendre la main pour lui faire un check quand il secoua doucement la tête en désignant ses frères.

Le message était clair : Bartolomé n'était pas libre de faire ce qu'il voulait, mais au moins, je savais à présent qu'il était toujours de mon côté.

là où je me suis fait « chopper »

– Alors, comme ça, tu leur faisais une démonstration de jiu-jitsu brésilien ? Et tu comptes faire croire ça à qui exactement ? Pas à moi j'espère, me lança DeVergy d'un air amusé.

Je n'ai pas répondu tout de suite, parce que je ne savais pas vraiment quoi dire qui ne passe pas pour un nouveau mensonge.

Du coup, il a enfoncé le clou.

– Ça faisait dix bonnes minutes que je vous observais, et même si tu ne te débrouilles pas trop mal, tu avais plus l'air du type qui va se prendre une raclée que d'un moine Shaolin en pleine exhibition.

– Content que le spectacle vous ait plu, j'aurais pu les étaler mais je ne voulais pas me faire virer du collège le premier jour, grognai-je un peu vexé.

– Alors que faisais-tu par terre ? Tu méditais ?

– Non, c'est juste que j'ai perdu l'équilibre à cause du trottoir.

– Le problème, ce ne sont pas tes appuis. Tu es souple et rapide. J'ai bien noté que tu t'amusais à éviter les coups. Mais tu manques de concentration et c'est pour ça que tu es tombé. Les frères Montagues sont connus pour leur agressivité et en ont dérouillé plus d'un ici ; mais leur point faible, c'est qu'ils sont bêtes à bouffer du foin et n'ont aucune finesse dans le combat. Tu aurais dû pouvoir les envoyer au tapis rapidement et sans laisser de marques, même à trois contre un. Il faudra que tu viennes t'entraîner avec moi au dojo, parce que je compte sur toi pour faire mieux la prochaine fois, ajouta-t-il en me prenant par l'épaule.

Il avait l'air tellement sérieux que j'ai cru rêver. D'où, un prof qui vous chope en pleine bagarre vous donne des conseils pour dégommer vos adversaires ?

– Heuuu, vous ne devriez pas me faire la morale plutôt que de m'inciter à recommencer ?

DeVergy éclata de rire.

– Ça ferait bien trop plaisir au Négrier ; surtout qu'il y a de grandes chances pour que ce soit lui qui t'ait envoyé les frères Montagues, pour se venger de l'humiliation que tu lui as fait subir dans la cour ce matin. Allez, viens, je te ramène chez toi, me lança-t-il en s'éloignant vers le bout de la rue.

– Première journée et déjà des ennemis. Je suis vraiment poissard, soupirai-je en lui emboîtant le pas.

– Tu n'y es pour rien mon grand. Le Négrier détestait déjà ton père bien avant ta naissance, et son père détestait ton grand-père, et son arrière-grand-père haïssait ton arrière-grand-père… et aussi loin que les livres s'en souviennent, il en fut toujours ainsi.

– Attendez un peu, c'est quoi ce délire ? Mon père connaissait le dirlo ?

– C'est une longue histoire, Auguste, trop longue et trop importante pour que je te la raconte sur un coin de trottoir.

Tout en discutant, le prof m'avait fait pénétrer dans un garage. Je m'attendais à y voir une voiture mais, lorsqu'il me tendit un deuxième casque, je réalisai qu'il allait y avoir un problème.

Moi qui n'avais jamais été autorisé à faire de la moto, mais qui en avais toujours rêvé, j'ai halluciné quand j'ai vu l'engin qui allait me ramener chez moi.

La bécane de DeVergy était carrément d'enfer ; un monstre rugissant de chrome et de métal monté sur des pneus larges comme des roues de camion. C'était un *chopper* Harley-Davidson sans garde-boue avant, avec une longue fourche, pas de suspensions, un embrayage « suicide » au pied et un levier de vitesse à la main.

J'en avais déjà vu dans des films, mais je n'aurais jamais imaginé m'asseoir dessus un jour.

– En selle, que je te ramène à La Commanderie. Ta mère doit commencer à se demander ce que tu fais, me dit-il tout en allumant ses phares.

Je n'étais même pas surpris qu'il sache où j'habite. J'aurais bien insisté, ou même menacé de ne pas grimper sur sa satanée moto tant qu'il ne m'aurait pas donné plus d'explications, mais d'un grand coup de kick il a lancé le moteur de son engin, coupant ainsi toute possibilité de s'entendre à au moins cinq cents mètres à la ronde.

J'étais coincé.

C'était soit rester tout seul devant l'école en priant pour que ma mère finisse par venir me chercher, soit capituler et me laisser ramener sans poser de questions.

– Tu essaies d'hypnotiser ma Harley ou tu te décides à grimper ? me lança DeVergy en faisant rugir le moteur.

Je choisis la deuxième option… et je ne devais pas le regretter !

Je me calais tant bien que mal sur le bout de selle ridicule qu'il m'avait laissé en me demandant comment j'allais bien pouvoir rester assis sans me faire éjecter, quand DeVergy me cria de m'agripper à lui et de suivre ses mouvements sans réfléchir.

– Si jamais tu te penches du mauvais côté dans les virages, c'est la chute assurée, alors à partir de maintenant, tu me fais confiance et tu te laisses aller.

Je passai mes bras autour de sa taille et collai mon nez contre le col de son blouson en cuir, à quelques centimètres des arabesques d'un tatouage en arabe, en priant pour que personne ne me voie, quand je sentis le monstre décoller.

Je ne sais pas si vous avez déjà fait de la moto, mais je vous assure que rouler à pleine vitesse sur des routes de campagne, quand le soleil se couche et que les ombres s'allongent, est une expérience extraordinaire.

D'un coup, je me suis senti libre, comme si le vent qui me fouettait le visage avait le pouvoir d'effacer les douleurs de ces dernières semaines. J'ai oublié la mort de papa, la vente de l'appart, le déménagement, mes cauchemars.

Je ne m'en étais pas rendu compte avant, mais depuis que les gendarmes s'étaient présentés chez nous pour faire exploser notre vie, un poids incroyable pesait sur mes épaules.

Je me sentais responsable de maman, de Césarine, de papi et mamie, de La Commanderie… bref de toute ma famille.

C'était un poids immense, énorme, gigantesque et surtout insupportable quand on est un garçon de quatorze ans.

J'avais tout fait pour soulager les autres, et j'en étais arrivé au point où j'avais presque réussi à oublier mon propre chagrin pour aider ma famille à supporter le sien.

Assis sur cette moto, j'ai enfin senti que je devenais plus léger. Les arbres défilaient à toute allure sur les bords de la route, allongeant leurs ombres immenses dans la lumière pâle des phares, et je me laissai bercer par les rugissements du moteur, content de lâcher prise.

Enfin, je n'avais rien à faire, rien à penser, rien à gérer. Je serrai de toutes mes forces le buste musclé de DeVergy et le laissai tout prendre en charge sans réfléchir.

À quatorze ans, ma vie aurait dû être ainsi. Ce n'était pas mon rôle de gérer ma famille et tout à coup, je me rendis compte que j'en voulais terriblement à mon père de nous avoir abandonnés.

De m'avoir abandonné.

Et là, tandis que la nuit arrivait enfin et que les grilles de La Commanderie se découpaient au loin, j'ai enfin réussi à faire ce que j'aurais dû faire depuis plusieurs semaines :

Je me suis mis à pleurer.

journal de Césarine

J'ai rencontré mes nouveaux éducateurs.

Enfin je devrais plutôt dire « ma nouvelle éducatrice » parce qu'ici j'en ai une pour moi toute seule. Elle m'a dit qu'elle s'appelait Marie-Luce, *mais que je pouvais l'appeler* Marie.

Je ne sais pas encore à quoi elle ressemble parce que, aujourd'hui, j'ai regardé mes pieds toute la journée.

Je fais ça quand il y a trop de gens que je ne connais pas, et là je ne connaissais personne. C'était difficile, et je suis restée longtemps accroupie dans un coin à jouer avec un Rubik's Cube.

Tout ce que je peux vous dire, c'est que Marie *a des baskets roses et des lacets avec des «* Monsieur-Madame *» dessus.*

J'aime bien les « Monsieur-Madame *».*

Je les connais tous parce que mamie les utilise pour m'aider à comprendre les sentiments des gens.

Comme Marie *est restée à côté de moi sans rien dire pendant longtemps, j'ai pu bien regarder ses lacets.* Même *qu'au bout d'un moment, elle les a dénoués pour que je puisse les regarder en entier et après j'ai accepté d'aller m'asseoir parce que j'ai compris que Marie était gentille et qu'elle m'a promis de me trouver des lacets comme les siens.*

Dans mon groupe, il y a douze autres enfants et six éducateurs.

Je n'ai pas levé la tête, mais je le sais parce que j'ai compté les différents pieds et qu'il y en avait vingt-quatre petits et douze grands.

Bien sûr, il est possible qu'un des adultes soit nain. Dans ce cas, ça ferait onze enfants et sept éducateurs.

OU alors un enfant peut avoir de très grands pieds, ce qui ferait treize enfants et cinq éducateurs.

OU alors il y a peut-être deux unijambistes... mais ça m'étonnerait parce que, dans ce cas-là, j'aurais vu deux chaussures très différentes qui ne faisaient pas de paire et ce n'est pas le cas.

Demain, si j'ai moins peur, je compterai les têtes, comme ça je serai sûre.

Marie m'a demandé de dessiner un bonhomme, mais je n'ai pas pu parce qu'il n'y avait pas de violet dans la trousse qu'elle m'a donnée. Alors j'ai dessiné le plan que le faux policier a volé à papa. Même que c'était difficile parce que ma feuille mesurait 29,7 cm par 21 cm alors que le plan de papa faisait 106 cm par 75 cm et que j'ai du mal à rétrécir les images que j'ai dans la tête.

J'ai dû faire ça petit bout par petit bout, et si je veux tout voir, il faudra que je les scotche.

Donc :

1 : *J'aime bien Marie.*
2 : *J'ai, peut-être, un nain dans ma classe.*
3 : *Je dois trouver un crayon violet.*

révélations

Quand, dans un crissement de pneus, la moto s'arrêta enfin, nous étions arrivés dans la cour de La Commanderie. J'étais glacé, mais je me sentais étrangement bien, comme si pleurer un bon coup m'avait permis d'évacuer le poids que je sentais peser sur ma poitrine depuis la mort de papa.

DeVergy fut assez sympa pour ne pas faire de remarque, mais je suis certain qu'il avait compris.

– La prochaine fois que je t'emmènerai faire un tour, je te prendrai un casque intégral, ça t'évitera les moucherons dans les yeux, me dit-il en me tendant un Kleenex. Essuie-toi un peu, sinon ta mère risque de m'en vouloir à mort.

J'eus à peine le temps de me débarbouiller que la porte s'ouvrit et maman apparut sur le perron. Elle n'avait pas pris le temps d'enlever son tablier et tenait un saladier entre ses mains.

– Quand on parle du loup, murmurai-je à l'attention de DeVergy.

Bon, j'avoue que je n'avais pas vraiment réfléchi à l'impact que pourrait avoir sur elle mon arrivée tardive, assis à l'arrière d'une moto semblant échappée de l'enfer des *bikers*, agrippé à un mec tatoué et en cuir de la tête aux pieds... Si j'y avais réfléchi ne serait-ce qu'une seconde, j'aurais tout de suite su que ce n'était pas une très bonne idée.

Si je n'avais jamais eu le droit de monter sur une bécane, c'est que maman avait perdu son frère, Virgile, dans un accident de moto alors qu'il était âgé d'une vingtaine d'années. Sous cet éclairage, et vu les circonstances, ce que je venais de faire n'était pas très malin.

Mais bon, je l'ai dit : je n'avais pas réfléchi.

Néanmoins, en entendant le saladier se fracasser sur le perron, je compris que sa réaction allait dépasser tout ce que j'aurais pu prévoir dans mes pires estimations.

– Auguste, Jean, Guy Mars ! Dans ta chambre ! Immédiatement !

Oups... si le ton de sa voix et sa phrase bourrée de points d'exclamation n'avaient pas suffi à faire passer le message, l'ajout de mes deux prénoms acheva de me faire comprendre qu'il valait mieux que je la ferme et que j'obéisse sans discuter.

Quand maman m'appelle par ma titulature complète, c'est qu'elle est vraiment très, très en colère.

J'ai vaguement remercié le prof et j'ai filé dans la maison en me faisant le plus petit possible. Il serait toujours temps pour moi de m'expliquer demain matin quand maman aurait retrouvé son calme.

Césarine m'attendait dans la cuisine.

– Tu es en retard d'une heure et quarante-sept minutes.

On peut toujours compter sur ma sœur pour résumer les problèmes…

– Je sais Cés, mais ma journée a été plutôt merdique, lui expliquai-je en m'asseyant face à elle. Le dirlo m'a confisqué mon iPod et m'a coincé une heure dans son bureau pour recopier son fichu règlement et quand je suis sorti, une bande d'abrutis m'est tombée dessus à bras raccourcis.

Regard concentré de Césarine.

– Tu as eu la diarrhée, des garçons avec des petits bras sont tombés sur toi et le directeur t'a coincé dans son bureau… Mais il t'a coincé quoi ? Le bras ? Les doigts ?

(Soupir)

J'avais oublié la règle absolue avec ma sœur : ne jamais employer de vocabulaire à double entrée.

– Non Cés, je voulais dire que j'avais passé une « mauvaise journée », que le directeur m'avait « puni » et que des garçons avaient voulu « me taper dessus ».

– Et ces garçons, ils n'avaient pas des petits bras alors ?

– Pas du tout.

– Mais alors. Pourquoi tu as dit qu'ils avaient des bras plus courts ?

– Cés… « À bras raccourcis », c'est une expression qui veut dire qu'ils veulent te frapper, donc ils plient le bras vers l'arrière pour pouvoir le projeter en avant avec plus de force. C'est ce qui donne l'impression qu'il est « raccourci ». Tu piges ?

Je joignis le geste à la parole en espérant que le concept serait ainsi plus clair pour elle.

– Oui… mais tout de même, c'est un peu idiot. Et si tu étais attaqué par des nains… tu dirais « à petits bras raccourcis » ?

(Re-soupir)

Je savais que la conversation pouvait tourner au cauchemar ; j'ai préféré passer rapidement à autre chose.

– C'était comment pour toi l'école ?

Pas de réponse.

Je voyais bien que ma sœur restait concentrée sur cette histoire de bras. Elle fronçait les sourcils en regardant dans le vide, comme quand elle réfléchit intensément à quelque chose qui la perturbe.

Elle s'était mise sur pause.

J'en ai profité pour me faire un sandwich, au cas où maman mette sa menace à exécution et m'envoie dans ma chambre.

J'avais à peine fini d'étaler la mayonnaise que Césarine s'est remise à agiter ses petites jambes sous la table.

Le mode pause était terminé.

– Y a plus les mêmes gens. J'aime pas.

Il m'a fallu deux secondes pour comprendre qu'elle répondait à ma question sur sa nouvelle école. Je me suis arrêté de tartiner pour lui montrer qu'elle avait toute mon attention.

– C'est normal ma puce. Nous, on a déménagé, mais tes camarades sont restés à Paris.

– Je sais, mais j'aime pas… sauf Marie, elle est gentille Marie.

– Super. Et c'est qui Marie, une copine ?

– Non. Mon éducatrice, celle avec les « Monsieur-Madame ».

Je n'ai même pas eu le temps de chercher à comprendre ce que pouvait bien être une « éducatrice avec des Monsieur-Madame » que ma sœur avait déjà embrayé sur autre chose.

– J'ai compté tous les crayons ; ils en ont trois cent vingt-sept, mais seulement six violets. À Paris, il y avait deux cent quarante-deux crayons, mais quatorze violets. Six crayons violets, ce n'est pas suffisant. Il faudra m'acheter un violet à moi, pour que je puisse faire des yeux quand je veux.

À la manière dont elle triturait les boutons de son gilet, j'ai bien senti à quel point cette histoire de crayon violet était importante pour elle. Depuis que papi lui avait lu un poème où les yeux étaient décrits comme « les fenêtres de l'âme », Césarine coloriait tous les yeux en violet… pour leur faire des volets ! Et s'il n'y avait pas de crayon de la bonne couleur, elle faisait des bonshommes sans yeux et ça faisait flipper les éducateurs. Je lui ai donc promis de lui donner le feutre qui était dans ma trousse.

Césarine, rassurée, s'est immédiatement trouvé une autre occupation : compter les carreaux de la nappe ! Et comme elle pouvait en avoir pour un moment, j'ai décidé d'aller voir si maman n'était pas en train d'assassiner mon prof.

Pour une fois que j'en avais un qui avait l'air sympa.

Le saladier cassé gisait toujours en mille morceaux sur le perron et le *chopper* trônait au milieu de la cour, mais maman et DeVergy avaient disparu. La cour semblait vide, pourtant j'entendais des voix en provenance de la remise.

Que pouvaient-ils bien faire là-bas ?

Depuis qu'on y avait entassé toutes les affaires de papa, c'est à peine s'il y avait encore suffisamment de place pour y entrer.

Je sais que je n'aurais pas dû et que ce que je faisais était très indiscret, mais la curiosité l'a emporté sur le bon sens. Je me suis approché sans faire de bruit de la grande porte de bois entrebâillée, jusqu'à ce que leur discussion devienne audible.

Maman avait l'air en colère ; ça, c'était logique ; mais ce qui était beaucoup moins normal, c'est que non seulement elle avait l'air de très bien connaître mon prof, mais qu'en plus c'était contre lui qu'elle était fâchée…

Par l'interstice du battant, je la voyais marcher de long en large entre les cartons entassés en gesticulant et j'avais du mal à la reconnaître. Elle était tellement énervée que son visage, si calme habituellement, était rouge et secoué de tics.

Ses lèvres tremblaient tandis qu'elle criait :

– Alors la mort de Virgile ne t'a pas suffi ! Il faut aussi que tu mettes mon fils en danger et que tu l'embarques dans la conspiration. Quand est-ce que vous comprendrez que vos histoires sont dépassées. Bordel, grandis un peu ! Tu t'es vu avec ta moto, tes tatouages, ton blouson en cuir et tes cheveux longs… Tu es pathétique, mon pauvre Marc !

Je distinguais mal le prof, qui était caché à ma vue par une des larges poutres en chêne de la remise, mais rien qu'à la position de ses épaules et à l'inclinaison de sa tête, je devinais qu'il n'en menait pas large ; c'est à peine s'il arrivait à répondre à ma mère tant son débit de parole était vif.

– Tu es injuste Julie. Tu sais très bien que je ne suis pour rien dans l'accident de ton frère. Ma moto avait été trafiquée et j'ai toujours pensé que c'est moi qui étais visé. Tu sais très bien que je ne me pardonnerai jamais de lui avoir prêté ma moto ce jour-là. Virgile n'était pas un Traqueur. Jamais il n'aurait dû être en danger.

Maman évita la main que DeVergy tendait vers elle ; elle semblait totalement désespérée.

– Pourquoi es-tu là ? Tu ne crois pas que nos vies sont assez difficiles comme ça ? Tu ne crois pas qu'Auguste a le droit d'avoir une vie d'adolescent comme les autres et pas la vie austère et dangereuse que nos familles mènent depuis si longtemps ? C'est un enfant, pas un combattant. Fichez-lui la paix !

DeVergy avait fini par attraper maman et la serrait dans ses bras tout en lui caressant les cheveux comme si elle était une petite fille.

Pour moi, la scène était irréelle. Quelques semaines plus tôt seulement, c'est dans les bras de mon père qu'elle se blottissait !

Je ne comprenais pas pourquoi elle se laissait faire, mais je vis qu'elle s'était mise à pleurer. J'allais entrer dans la remise et coller mon poing dans la figure de ce type qui osait à la fois faire pleurer ma mère et la serrer dans ses bras, mais la réponse du prof me figea sur place :

– Ton fils n'est au courant de rien. Tu sais très bien qu'après la mort de ton frère, Jean a respecté ton choix et a toujours refusé qu'on parle de la Confrérie à Auguste avant qu'il soit en âge de se battre et nous avons tous respecté ton désir. Mais, Julie, tu dois te rendre à l'évidence, l'assassinat de ton mari est un signe qui ne trompe pas. Nos ennemis se sont regroupés, ils sont en ordre de bataille et tout s'accélère autour de nous. Il faut resserrer les rangs ; Jean est mort, ton beau-père est trop vieux, Auguste doit compléter sa formation et devenir le nouveau Gardien. Le fait qu'il soit trop jeune ne change rien à l'affaire… Si tu persistes à ne rien vouloir lui dire, tu le condamnes à mort !

Là, c'était trop ! J'avais dû mal entendre. D'ici deux minutes, ils allaient sortir en criant : « Poisson d'avril ! »

… sauf qu'on était en mai.

La logique aurait voulu que j'entre dans la remise pour réclamer des explications, mais je me refusais à infliger ça à ma mère. Par contre, dès le lendemain, prof ou pas prof, Marc DeVergy aurait intérêt à répondre à mes questions !

au feu !

Ma journée avait été pourrie, mais ce n'était rien à côté de ma nuit qui, elle, fut carrément catastrophique.

Après avoir accepté sans broncher la leçon de morale de maman et promis de ne plus jamais monter sur une moto, « même d'un professeur », j'ai dû supporter les allers-retours de Césarine.

Pour une raison connue d'elle seule, elle s'était mis en tête « que les pièces étaient trop petites et qu'il manquait des mètres », et elle a arpenté les couloirs de la maison une bonne partie de la nuit en comptant à voix haute.

Ça donnait un truc du genre :

– Couloir ouest droit : 8,37-2,53 jusqu'à la chambre d'Auguste ; 7,47-2,53 jusqu'à la chambre de Césarine… il en manque 1,42.

Grand aller-retour, puis :

– Couloir ouest gauche : 8,37-2,53 jusqu'à la salle de bains d'Auguste ; 7,47-2,53 jusqu'à la salle de bains de Césarine… il en manque 1,42.

Et j'imagine que c'était pareil aux autres étages car au bout d'un moment, maman l'a ramenée dans sa chambre en lui jurant de demander à papi les plans dressés par l'architecte lors de la rénovation de La Commanderie, à condition qu'elle promette de dormir et de ne plus sortir de sa chambre. L'argument a été efficace car ma sœur s'est enfin couchée et j'ai pu m'endormir… Mais j'aurais mieux fait de m'abstenir.

Mon cauchemar est revenu, mais cette fois-ci il était carrément atroce !

Pourtant, au début, tout a débuté comme la première fois.

J'étais dans la même forêt, sur la même longue allée que celle où j'avais aperçu papa ; tout autour de moi défilaient les grands arbres aux branches surchargées de livres tandis que des nuages menaçants et un vent plein de fumée s'élevait à nouveau dans le lointain.

Mon rêve semblait recommencer mais, à la différence de la fois précédente, la forêt était plus sombre, hostile, et les arbres semblaient vivants, comme effrayés.

Les livres, qui alourdissaient les branches tels d'énormes fruits trop mûrs, battaient furieusement leurs couvertures comme s'ils cherchaient à s'envoler, et des milliers de feuilles manuscrites et délicatement enluminées tourbillonnaient autour de moi.

Plus j'avançais au cœur de cette forêt d'arbres-livres, plus les nuages semblaient bas et menaçants, tandis que le vent forcissait et emmenait avec lui une lourde odeur de roussi. J'avais la gorge qui piquait, la fumée me brûlait les yeux, mais j'avais beau chercher mon père, je ne le voyais nulle part. Je commençai à paniquer et à courir au milieu des arbres ; je criai de toutes mes forces, mais il n'était plus là.

La seule chose que je retrouvai, appuyée contre un grand chêne, fut la bêche qu'il m'avait tendue dans mon premier rêve. Je m'en saisis instinctivement, comme si cet objet pouvait me donner le moindre indice sur le sens de mon rêve. C'était apparemment idiot, mais une force inconnue me poussait à agir ainsi.

Je la soulevai et l'observai avec attention ; c'était une vieille bêche avec un manche en bois solide et patiné par les ans sur lequel étaient gravés ces mots : « Trouve-moi ».

C'était n'importe quoi ; j'étais dans un cauchemar terrifiant et tout ce que me laissait mon père, c'était une bêche avec un message digne d'*Alice au pays des merveilles*. Il ne manquait plus qu'un lapin blanc et un chat souriant pour compléter le tableau.

L'absurdité de la situation aurait pu m'amuser si je n'avais pas eu de plus en plus de mal à respirer. La fumée envahissait tout et je ne voyais plus à cinq mètres ; ma respiration était de plus en plus saccadée, j'étouffais littéralement. Je n'avais plus qu'une envie, m'allonger sous le grand chêne et dormir, quand je sentis qu'on me secouait violemment. Fouetté par le vent, je luttais pour ne pas sortir de mon rêve avant d'avoir trouvé papa, mais je me réveillai en sursaut, à moitié étouffé par ma propre toux.

Ma fenêtre était entrouverte et une épaisse fumée s'insinuait entre les fentes des volets. Césarine me secouait brutalement en répétant toujours le même mot : « Feu ».

Son visage était si blanc que je crus une seconde qu'elle était un fantôme et que j'étais toujours en plein cauchemar, mais l'odeur âcre de la fumée me ramena vite à la réalité.

Il était urgent d'agir si je ne voulais pas que nous finissions cramés comme des marshmallows sur un feu de camp scout !

– Cours Césarine ! Il faut sortir d'ici et fissa !

Ma sœur était trop paniquée pour bouger. Ses yeux étaient repartis dans le vague ; elle ne m'écoutait plus et répétait « Feu, feu, feu… » en se balançant.

Il y avait urgence, mais je savais que si je la portais, ce serait encore pire ; elle ne supporte pas qu'on la touche, le moindre contact physique la rend folle et décuple ses forces. Un jour, elle avait même cassé le bras d'un éducateur qui voulait juste l'aider à enfiler son manteau… À l'époque, j'avais trouvé malin de dire qu'il ne nous restait plus qu'à la peindre en vert pour la transformer en incroyable « Hulkette », mais ça n'avait fait rire que moi.

Là, assis au milieu de ma chambre enfumée, je dois bien avouer que je ne trouvais plus ça drôle du tout.

Avec Césarine, s'énerver ne sert à rien ; il fallait que je me calme pour trouver une solution. J'inspirai profondément, comme me l'avait appris maître Akitori, avalai de travers à cause de la fumée et me mis à tousser comme un tuberculeux en phase terminale. Mon maître avait visiblement omis de préciser que cet exercice était déconseillé en cas d'incendie.

Une très mauvaise idée donc… sauf que du coup, à me voir rouler sur mon lit en m'étouffant, ma sœur sortit de sa bulle.

– Ça va Gus ? me dit-elle les yeux enfin clairs.

– Cés, hoquetai-je avec difficulté, la maison brûle, tu dois sortir de là et aller dans la cour pendant que je cherche maman.

Mais ma sœur persistait à rester assise et secouait la tête de droite à gauche en me regardant de travers.

– Pas la maison, la re-mi-se.

– Cés, ne discute pas s'il te plaît, tu dois sortir…

– La MAISON ne brûle pas. La REMISE brûle. La remise est dans la cour. Je ne vais pas dans la cour, m'assena-t-elle alors en allant fermer la fenêtre et en me regardant comme si j'étais le dernier des idiots.

Comme il était clair qu'elle ne bougerait pas, je me précipitai dehors pour constater qu'elle avait raison. La remise où se tenaient maman et DeVergy quelques heures plus tôt à peine, celle-là même où toutes les affaires de mon père avaient été entreposées, partait en fumée et j'entendais la sirène des pompiers résonner dans le lointain.

Devant le bâtiment en feu, un tuyau à la main, maman arrosait les murs de la cuisine pour éviter que le feu se propage. C'était visiblement elle qui avait envoyé Césarine me réveiller car elle me fit de grands gestes en m'apercevant.

C'est en prenant la pelle qu'elle me tendait pour que je l'aide à écarter les brandons enflammés qui tombaient du toit de la remise que je pris conscience que cet outil ressemblait comme deux gouttes d'eau à la bêche de mon rêve. Même bois solide et patiné par les ans, même tête de métal un peu rouillée avec des lambeaux de peinture verte.

Tout pareil… sauf que c'était une pelle, et je me suis enfin souvenu pourquoi la bêche de mon rêve me disait vaguement quelque chose ; c'était celle avec laquelle papa jardinait toujours quand nous étions à La Commanderie, celle dont il me disait en riant qu'il l'utilisait déjà quand il était jeune et qu'elle aurait pu me dévoiler un tas de secrets si elle avait pu parler.

– Tu rêves ou quoi Gus ! Aide-moi un peu, ça urge là ! me cria maman pendant que je restais planté comme un benêt la pelle entre les mains.

– La bêche, elle est où la bêche ? lui criai-je à mon tour.

– Comment ?

– La bêche, celle qui va avec cette pelle, insistai-je en lui agitant l'outil sous le nez.

Sans lâcher son tuyau d'arrosage, maman me lança un coup d'œil en biais. Elle avait l'air de se demander si elle ne devait pas m'asperger un bon coup pour me faire reprendre mes esprits.

– Tu es sûr que ça va, Gus ?

– Bien sûr que ça va, je veux juste savoir où est rangée la bêche de papa. Ne cherche pas à comprendre. S'il te plaît, je te jure que c'est important pour moi.

Maman soupira et me désigna le brasier du menton.

– Si c'est si important pour toi, je te conseille de m'aider à éteindre cet incendie… Les outils sont tous rangés dans la remise !

Bon, je sais que je n'aurais pas dû et que ce que j'ai fait à ce moment-là était complètement stupide, voire même carrément suicidaire, mais je n'ai pas pu me retenir : j'ai foncé dans la remise pour essayer de sauver la bêche !

journal de Césarine

Les médecins de l'hôpital ont dit à maman qu'il fallait qu'elle surveille Gus car il avait des tendances suicidaires.

C'est n'importe quoi.

Mon frère est un idiot, mais tout de même pas à ce point-là, et les médecins sont encore plus idiots que lui car ils sont persuadés qu'il a couru dans la remise parce qu'il voulait mourir. Ils pensent même qu'il pourrait être à l'origine du feu.

Sauf que ça, je sais que c'est faux car hier soir, j'ai vu un homme en noir se glisser dans la remise après le départ du prof de Gus. Je n'ai rien dit parce que je savais ce qu'il cherchait et que je savais aussi qu'il ne le trouverait pas, vu que le livre et l'ordinateur de papa sont dans ma chambre.

Donc ce n'était pas grave et c'est pour ça que je n'ai rien dit.

Maintenant je regrette un peu, à cause du feu. Mais c'est trop tard.

Les médecins ont aussi dit à maman que le directeur du collège était venu signaler que Gus l'avait frappé sans raison et avait ensuite eu un comportement agressif envers des élèves.

C'est un mensonge, mais le témoignage du directeur, ajouté à la mort de papa, suffit aux médecins pour affirmer que mon frère a « des tendances suicidaires ».

Du coup, ils le gardent toute la semaine « en observation ».

J'ai demandé à maman si ça voulait dire qu'ils allaient le mettre dans une cage avec une petite roue, de la paille et une pipette pour boire de l'eau comme Hamster (Hamster, c'est mon hamster. J'aime appeler les choses par leur nom).

Maman m'a dit que non ; que c'était juste pour que mon frère se repose et qu'il serait transféré dans la chambre d'une clinique privée, pas dans une cage.

Ça m'a rassurée, mais je sais que les médecins se trompent de diagnostic.

Mon frère est juste idiot et je peux vous le démontrer :

1 : il a tapé son directeur en croyant que c'était un élève, ce qui est particulièrement idiot vu que tout le monde sait que les adultes ne vont plus au collège, sauf s'ils sont professeurs (d'ailleurs, ça ne plaide pas en faveur de leur bon sens parce que, quitter l'école pour y revenir quelques années plus tard, c'est tout de même bizarre).

2 : c'est lui qui s'est fait taper dessus par des garçons (ou des nains) aux bras courts qui n'étaient pas des adultes.

3 : il est rentré en MOTO alors que maman nous a fait promettre de ne JAMAIS monter sur une moto, et fâcher maman c'est vraiment faire preuve d'une grande bêtise.

4 : il est entré dans la remise en feu et ça, c'est totalement idiot. D'abord parce que le feu, ça brûle, mais aussi parce que c'était pour aller sauver une bêche alors qu'une bêche n'est pas un être vivant et qu'il y en a plein de neuves dans les magasins de bricolage.

Conclusion : mon frère est un idiot.

Quand j'ai vu qu'il ne ressortait pas de la remise et que le toit commençait à s'effondrer, j'ai pensé qu'il allait mourir. Ça m'a un peu embêtée (mais pas pour les poules et les vers de terre parce que les vers de terre ne mangent pas de cendres).

Heureusement, les pompiers sont arrivés et maman a crié que son fils était dans la remise, alors ils sont allés le chercher, et quand ils l'ont ressorti… il était tout noir. Ses cheveux et son pyjama avaient un peu brûlé, mais je savais qu'il n'était pas mort parce qu'il toussait et qu'on ne peut pas tousser quand on est mort.

Il tenait une bêche serrée contre lui et ne voulait pas la lâcher, du coup maman les a serrés tous les deux dans ses bras avant de lui mettre une claque.

À Auguste, la claque, pas à la bêche, parce que mettre une gifle à une bêche, c'est idiot.

Avant de partir dans l'ambulance, mon frère m'a demandé de cacher sa bêche.

Donc :

1 : Les médecins et mon frère sont des idiots.
2 : Le directeur du collège est un menteur.
3 : *J'ai une bêche sous mon lit.*

vol au-dessus d'un nid de coucou

Une semaine ! Il aura fallu que je patiente UNE semaine dans cette clinique de fous avant de pouvoir rentrer à La Commanderie examiner cette fichue bêche.

Les gendarmes, les pompiers et les médecins avaient tous l'air persuadés que j'avais essayé de me suicider en me jetant dans l'incendie, voire même que je l'avais « volontairement déclenché », et le témoignage de cette pourriture de Négrier avait achevé de les convaincre que j'avais des tendances « autodestructrices ».

De toute façon, quand j'ai su que le médecin-chef de la clinique était son frère, j'ai compris qu'il n'avait pas dû beaucoup lui forcer la main pour le décider à m'interner…

Pour ajouter à mon malheur, les pompiers ont conclu à un incendie criminel et les explications que j'avais à fournir pour expliquer mon geste ne plaidaient pas en ma faveur.

Avouez que je pouvais difficilement leur dire que je m'étais jeté dans le brasier pour récupérer une vieille bêche parce que mon père me l'avait demandé dans un rêve.

Si je leur avais dit ça, là, c'est sûr, j'étais bon pour la camisole de force.

J'ai donc dû ronger mon frein pendant sept longues journées passées en « thérapie » avec d'autres ados « difficiles ». Entre l'anorexique de 40 kg persuadée qu'elle est énorme, l'obèse qui voulait maigrir, le camé en cure de désintox et le flippé bourré de tocs, j'ai passé une semaine d'enfer.

Le pire, c'est que même le personnel était loufdingue. Principalement le frère du Négrier, qui passait me voir tous les jours et ne voulait qu'une seule chose : que je lui parle de mon père. Pas genre « Parlez-moi de votre enfance », ça, j'aurais compris ; mais des trucs bizarres du style « De quoi parliez-vous tous les deux ? », « Aviez-vous des projets communs ? », « Partagiez-vous des secrets ? » et tout un tas de trucs étranges sur ce que mon père aurait pu m'apprendre sur « le feu purificateur » ou sur « une théorie du complot »... Ma grand-mère est psy, alors je connais le discours et je peux vous assurer que ce type parlait plus comme un flic que comme un thérapeute !

Je ne sais pas trop ce que j'ai pu lui raconter les deux premiers jours car j'étais complètement dans les vapes ; j'ai même eu l'impression qu'il m'interrogeait pendant des heures et des heures.

Heureusement que mamie était là. Personne n'était autorisé à me voir mais, comme elle est médecin, elle a réussi à venir dans ma chambre. Quand elle a vu dans quel état j'étais et la quantité de médocs qu'ils me faisaient prendre, elle est entrée dans une colère noire.

On l'entendait hurler à l'autre bout du couloir. Ensuite, elle m'a donné des cachets en secret en me disant de les prendre à la place des leurs et je me suis senti drôlement mieux. Mamie m'a dit que ça s'appelait des placebos, en gros ce sont des bonbons qui ressemblent comme deux gouttes d'eau à des médicaments.

Quand j'ai fini par avoir le droit de sortir, il a encore fallu que j'aille répondre aux questions des gendarmes à propos de l'incendie. Ils voulaient absolument que j'avoue que je l'avais allumé pour me suicider, mais là, c'est papi qui m'a sauvé la mise. Il est arrivé avec un avocat qui leur a démontré qu'ils n'avaient aucune preuve, d'autant que maman et Césarine pouvaient témoigner que je dormais quand l'incendie avait débuté. Césarine a même parlé d'un homme en noir qu'elle aurait vu entrer dans la remise, mais ils n'ont pas voulu en tenir compte. J'ai bien vu ce qu'ils en pensaient, mais l'avocat ne leur a pas laissé le choix et j'ai enfin pu rentrer à la maison. J'aurais bien aimé partir avec papi, mais ma mère a insisté pour que je monte avec elle et au ton de sa voix, ce n'était pas le moment de discuter.

Dans la voiture, j'ai eu la confirmation que maman était en colère. Son visage était fermé, ses mâchoires crispées et ses sourcils se rejoignaient presque tant son front était tendu de contrariété. Elle regardait droit devant elle et serrait le volant avec tant de force que la jointure de ses doigts était blanche. Je savais que si je prononçais un seul mot le volcan allait exploser, mais évidemment, je n'ai pas pu me retenir.

– Je suis désolé, maman.

Ma mère a freiné si brutalement que je me suis senti projeté en avant tandis que la ceinture de sécurité me coupait le souffle et que mon petit-déjeuner menaçait de quitter mon estomac.

– Tu es… DÉSOLÉ !!! Mais désolé de quoi exactement Auguste ? D'avoir frappé ton directeur ? D'être monté sur une moto ? Ou de m'avoir fait la peur de ma vie en te jetant dans le feu ? Qu'est-ce qui ne va pas chez toi ? Ça ne te suffit pas que papa soit mort ? Tu m'en veux d'avoir accepté TA proposition de quitter Paris et tes copains ? Ou tu es juste idiot comme le pense ta sœur ? Réfléchis bien à ta réponse, mon bonhomme, parce que tes explications ont intérêt à être plus crédibles que celles que tu as fournies aux médecins ou à la police !

J'étais dans une impasse.

Impossible de mentir à ma mère – elle a un sixième sens et sait toujours quand je lui raconte des craques –, mais je ne pouvais pas non plus lui dire que je rêvais de papa, sinon elle m'aurait ramené illico à la clinique. J'étais coincé et même mon célèbre sourire numéro six aurait été inefficace. Je commençais à me demander si la meilleure solution ne serait pas de feindre l'amnésie, quand je me suis souvenu de la phrase de Napoléon que papi utilisait souvent pour stopper les offensives de mamie : « La meilleure défense, c'est l'attaque. »

Si ça marchait pour papi, pourquoi est-ce que ça ne marcherait pas pour moi ?

J'ai respiré à fond car je savais que ce que j'allais dire n'allait pas plaire à ma mère, et je me suis lancé.

– Si ton petit copain Marc et toi vous vous décidiez à arrêter de me mentir, on pourrait peut-être se remettre à communiquer normalement dans cette famille ! Et vous comptiez me prévenir quand que papa avait été assassiné ? Jamais ? Comme pour oncle Virgile ? C'est mieux de mentir à tout le monde et de faire comme s'il ne s'était rien passé d'important ! Alors que si JE monte UNE fois sur une moto alors là, oui, ça c'est GRAVE !

Les yeux de maman étaient tellement exorbités qu'on aurait dit qu'ils allaient lui jaillir de la figure ; elle avait l'air de quelqu'un qui vient de se prendre une énorme gifle en pleine tête sans savoir d'où elle est arrivée. J'aurais dû avoir pitié et arrêter de lui crier dessus, mais les vannes étaient ouvertes et plus rien ne pouvait me faire taire. Avec tout ce que j'avais enduré ces dernières semaines, il fallait que ça sorte.

– Et si ça ne vous embête pas trop, j'aimerais bien savoir ce que signifient ces histoires de « Gardien » parce que si je dois entreprendre des études de concierge, il serait peut-être temps que je sois au courant… Ah mais non, j'oubliais, ajoutai-je en me frappant le front, c'est vrai que tu préfères que je ne sois au courant de rien pour que je vive « ma vie d'ado »… Sauf que ma vie d'ado, comme tu dis, elle commence à être sacrément pourrie et elle risque d'être vachement courte si j'en crois les propos de ton « pote » Marc.

Ma mère cherchait ses mots en se tordant les mains et semblait de plus en plus paniquée.

– Auguste, mon chéri, c'est beaucoup plus compliqué que ça en a l'air ; je ne sais pas ce que tu as cru entendre mais…

– Ce que j'ai « cru » entendre… Tu plaisantes là ! Attends, je peux te rafraîchir la mémoire si tu veux ! Tu m'arrêtes si je me trompe mais il me semble qu'il a dit, je cite : « Si tu persistes à ne rien vouloir lui dire, tu le condamnes à mort. » Alors maman, tu décides quoi ? Tu attends qu'on vienne me buter, comme papa et oncle Virgile, ou tu te décides à cracher le morceau que j'aie au moins une chance de me défendre ?

Je sais qu'on ne parle pas comme ça à sa mère et que j'y étais allé un peu fort, mais quand je l'ai entendue soupirer et que je l'ai vue lever les mains en signe de reddition, j'ai compris que j'avais gagné la bataille et que j'allais enfin avoir une explication.

– Tu as raison. C'est moi qui ai été idiote de penser qu'en vivant à Paris on pourrait en finir avec toutes ces histoires, me dit-elle en me prenant dans ses bras.

Je me suis raidi. Si elle croyait qu'elle allait s'en tirer par un câlin, elle se fourrait le doigt dans l'œil !

– Pour commencer, j'aimerais bien que tu m'expliques ce que mon prof entendait exactement en disant que papa avait été assassiné.

J'avais touché le point sensible. Je savais que ma mère ne s'était toujours pas remise de la disparition de mon père, mais je refusais de continuer à me laisser mettre à l'écart comme un gamin de quatre ans. Je la fixai en silence en attendant qu'elle se décide et, voyant que je ne lâcherais pas le morceau, elle se mit enfin à parler.

– Ton père avait découvert quelque chose d'extrêmement important à la BNF. Quelque chose de si grave qu'il avait même refusé de m'en parler en détail, mais je voyais bien qu'il était bouleversé. Plusieurs fois il a laissé échapper des remarques sur une « prise en main mondiale des esprits » qui signerait la fin de notre liberté de penser, mais il n'a jamais été plus précis. Je sais qu'il cherchait désespérément quelque chose, mais je n'ai pas la moindre idée de ce que ça peut être à part que, selon ton père, ça aurait le pouvoir de nous sauver.

– Mais de nous sauver de quoi ? demandai-je interloqué.

– Justement, c'est bien ça le problème, je n'en sais rien.

– Alors pourquoi mon prof a l'air de penser que l'accident de papa n'en était pas un ?

– Parce que mon frère, ton oncle Virgile, a déjà été tué de cette manière.

– Je croyais qu'il était mort dans un accident de moto ?

– Oui, sauf que si les freins de la moto n'avaient pas été sabotés, il n'aurait pas eu d'accident.

– Mais qui l'a tué ? Et pourquoi ? Et pourquoi papa ?

Je n'y comprenais rien, maman avait beau faire des efforts pour m'expliquer, je n'étais pas plus avancé. Quelle que soit ma question, je n'arrivais jamais à obtenir de réponse claire et nette de sa part. Je soupirai de frustration.

L'air était de plus en plus lourd dans la voiture et maman entrouvrit une fenêtre pour nous permettre de respirer un peu ; une odeur de terre chaude et humide me remplit les poumons. Dehors, le ciel s'était voilé et le vent secouant les branches des arbres annonçait l'approche d'un orage. On aurait dit que la nature avait choisi de se mettre au diapason de notre discussion. Ma mère se passa les mains sur le visage et se tourna vers moi pour tenter une dernière fois de me faire comprendre ce qui se tramait.

– Il faut que tu prennes conscience que tu appartiens à une famille très spéciale Auguste, une famille qui porte une lourde responsabilité depuis de nombreux siècles. Quand mon frère est mort, j'ai convaincu ton père de s'éloigner d'ici dans l'espoir que nous pourrions échapper à notre destin, mais je pense maintenant que j'ai fait une erreur et qu'il est temps de la réparer. Je vais demander à Marc et à ton grand-père de venir pour tout te raconter, je suis certaine qu'ils pourront répondre à toutes tes questions. Mais promets-moi de tenir Césarine à l'écart.

À ce moment-là, comme un signe du destin, le grondement du tonnerre ponctua les derniers mots de ma mère et les premières gouttes de pluie s'écrasèrent sur la voiture. Il était temps de rentrer et je promis à maman de tenir ma sœur à l'écart… même si la suite des événements nous prouverait que cette promesse était impossible à tenir.

journal de Césarine

Marie a tenu ses promesses : elle m'a trouvé du scotch pour mes dessins et m'a donné des lacets « Monsieur-Madame ».

Je demanderai à maman de m'acheter des baskets pour pouvoir utiliser les lacets, car sur mes Start Rite*, ça ne va pas : elles n'ont pas de trous pour les faire passer.*

Maman m'a expliqué que ces trous s'appellent « des œillets » ; j'aime bien ce mot parce qu'il me fait penser aux fleurs, et que l'idée de mettre mes « Monsieur-Madame » *dans des fleurs, c'est comme si mes chaussures se transformaient en champs.*

Avec le scotch, j'ai pu reconstituer le plan de papa qui a été volé avec les autres par le monsieur qui n'était pas un vrai policier.

Le plan, c'est celui de La Commanderie et de la campagne autour ; mais en plus ancien, parce qu'il y a un bâtiment en plus qui referme la cour et un autre que je ne connais pas dans les bois.

Ce qui me dérange le plus, c'est que quand je mesure certaines pièces, elles ne correspondent pas tout à fait à celles du plan. Elles semblent plus petites, comme si quelques mètres avaient disparu entre les murs. Sauf que ça, ce n'est pas possible.

J'en suis certaine parce qu'après que papi m'a donné les plans de la rénovation de l'année dernière, j'ai pu comparer. Et il manque bien des mètres à certains endroits. Papa aussi avait dû s'en rendre compte parce que je me souviens que son plan à lui, celui que le monsieur a volé, était couvert de chiffres.

J'aimerais bien en parler à Gus, mais c'est impossible car il n'est pas là. Il a été envoyé dans la clinique, qui n'est pas une cage, pour se reposer. Comme la bêche qui est sous mon lit donne une odeur de brûlé à ma chambre, j'en ai profité pour m'installer dans celle de Gus. Mais avant il a fallu la ranger car il n'est pas très organisé, et de voir toutes ces étagères pleines de choses de différentes tailles, ça me donne mal à la tête.

Avant, la bibliothèque d'Auguste, ça faisait :

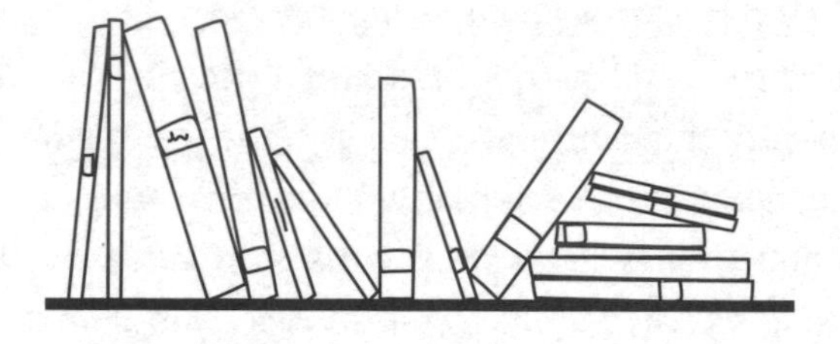

Maintenant, ça ressemble à ça :

C'est beaucoup mieux.

Comme il m'avait dit que je pouvais, j'ai pris le feutre violet dans sa trousse pour pouvoir dessiner les yeux de mes bonshommes.

À l'institut, je crois que je me suis fait « une amie ».

Au début, je n'ai vu que ses chaussures.

Elle avait les mêmes que moi, mais en rouge ; des Start Rite avec deux brides. Les miennes sont bleu marine avec deux brides aussi.

Je me suis assise sur le même banc pour que nos pieds soient côte à côte ; j'ai patienté un long moment sans rien dire et j'ai eu l'impression que nos chaussures s'entendaient bien parce qu'elles se balançaient sur le même rythme ; j'ai levé un peu la tête et j'ai vu que dans les chaussures rouges il y avait des chaussettes hautes blanches puis une jupe plissée bleu marine. J'ai bien aimé parce que dans les albums de Martine, il y a aussi des jupes plissées. Du coup, j'ai décidé de lever un peu plus la tête pour regarder à qui appartenaient la jupe, les chaussettes et les chaussures.

Posée au-dessus d'un cardigan bleu et d'un col blanc, il y avait une drôle de tête ; elle était toute ronde et un peu écrasée, avec des yeux très bleus en forme d'amande à moitié dissimulés derrière d'épaisses lunettes.

On aurait dit un poisson-lune avec des cheveux bruns et une barrette rouge.

Marie est arrivée juste à ce moment-là et m'a dit que Sara n'était pas une artiste, mais qu'elle était atteinte de « trisomie 21 » et que c'était « une anomalie génétique congénitale » parce qu'elle avait « un chromosome surnuméraire », mais que si sa trisomie la rendait, comme moi, différente des autres, cela ne l'empêchait pas de faire plein de choses.

C'était un peu compliqué comme explication, alors j'ai regardé dans le dictionnaire.

Surnuméraire, ça veut dire « en plus ».

J'ai donc pensé que Sara avait de la chance car elle avait quelque chose « en plus » des gens « normaux ». Même que j'ai tout de suite vu ce qu'elle avait de plus que moi...

Ensuite, Marie m'a demandé si je voulais bien m'occuper un peu de Sara parce que j'étais très en avance sur le programme scolaire alors que Sara était un peu en retard.

J'ai beaucoup hésité parce que c'est une responsabilité et que je dois déjà m'occuper de mon frère qui est idiot et de ma mère qui est triste. Mais j'ai accepté parce que Sara sait déjà faire plein de choses... mais surtout une que je ne sais pas faire et que j'aimerais bien qu'elle m'apprenne.

Sara sait lire, écrire et compter, mais surtout... elle sait sourire.

En fin de semaine, ça allait mieux et j'ai pu compter les têtes. J'avais raison. Il n'y a pas de nain, ni d'unijambiste, donc nous sommes bien douze enfants et six éducateurs, mais certains enfants sont méchants.

Dans la cour, j'en ai entendu certains traiter Sara de « Mongol ». Je sais que c'est méchant parce que les éducateurs les ont grondés, mais en plus c'est idiot parce que les Mongols sont les habitants de la Mongolie et que Sara est française. Marie a dit de ne pas les écouter et Sara a dit que ce n'était « pas grave » et qu'elle « avait l'habitude ».

Quand elle parle, on voit que c'est difficile pour elle parce qu'elle fait des grimaces. Les autres se moquent d'elle, mais moi je trouve ça joli ; on dirait qu'elle fait faire de la gymnastique à son visage. Et puis c'est comme si elle parlait avec un gros bonbon dans la bouche.

C'est sans doute pour ça qu'elle ne dit que des choses gentilles.

Donc :

1 : Demander des baskets à maman.
2 : Montrer le plan à papi.
3 : Demander à Sara de m'apprendre à sourire.

révélations

Césarine m'attendait dans ma chambre, qu'elle avait visiblement choisi de ranger pendant mon absence. Tous les livres de ma bibliothèque avaient été classés par taille, mes CD par couleur tandis que mes vêtements formaient des piles impeccables... de 22 cm sur 22 ! J'allais encore m'arracher les cheveux pour m'y retrouver et porter des fringues plissées, mais je n'avais pas le cœur de lui expliquer, pour la cent cinquante-troisième fois, que je préférais qu'elle ne se charge pas de ranger mes affaires.

Chose rare, ma sœur cherchait à capter mon regard ; signe chez elle qu'elle avait un message important à transmettre.

– Tu es idiot mais je suis contente que tu ne sois pas mort, me lança-t-elle sans préambule.

De sa part, c'était une forme de déclaration d'amour et je me sentis tout à coup fondre devant ma si incroyable petite sœur. Si j'avais pu, je l'aurais serrée dans mes bras, mais comme c'était impossible, je me suis contenté de m'agenouiller devant elle en posant doucement mes mains bien à plat sur ses genoux ; elle frissonna mais me laissa faire. Je la regardai alors droit dans les yeux, pour être sûr qu'elle se concentre bien sur mes paroles et lui dis le plus tendrement possible :

– Moi aussi je t'aime mon artiste à la noix et je ne sais pas ce que je ferais sans toi.

Devant l'évidente stupidité de ma réplique, ma sœur inclina son visage sur la gauche en fronçant les sourcils.

– Pourquoi « à la noix » ? Mon shampoing est à la camomille, mon savon à la vanille et mon dentifrice à la menthe. Et puis, sans moi tu ferais comme d'habitude : n'importe quoi, ajouta-t-elle en haussant les épaules.

Même si toutes les subtilités de ma phrase ne semblaient pas avoir été comprises, je voyais bien dans son regard qu'elle avait saisi le fond de mon message : à savoir que je l'aimais et que je l'aimerais toujours… même si elle était parfois prodigieusement agaçante.

Je me redressai en m'étirant ; j'avais beau avoir passé une semaine en « cure de repos », je me sentais crevé et je rêvais d'une bonne douche pour me débarrasser de l'odeur médicamenteuse de la clinique ; mais cela devrait attendre ; il fallait avant tout que je sache si cette satanée bêche méritait tous les ennuis que je m'étais attirés par sa faute.

– Où est-ce que tu as caché la bêche que je t'ai confiée, Cés ? demandai-je à ma sœur.

Césarine ne prit même pas la peine de me répondre et partit en trottinant dans le couloir. Je n'avais pas d'autre choix que de la suivre comme un bon petit toutou.

La bêche était cachée sous son lit et je la récupérai sans difficulté avant de m'installer devant la fenêtre pour pouvoir l'observer à la lumière.

C'était juste une vieille bêche, rouillée et noire de suie. En même temps, je ne sais pas à quoi je m'attendais. À un message clignotant et écrit en gros du style « Le trésor se trouve dans le pré sous une grande croix » ?

Ridicule, j'avais été ridicule.

Franchement, croire que mon père pouvait me parler en rêve, c'était déjà du grand art, mais imaginer une seconde qu'il m'avait laissé un message secret sur une bêche, c'était vraiment du grand n'importe quoi ! J'allais finir par croire que le psy de la clinique n'avait pas tout à fait tort en disant que j'étais un peu dérangé…

Je m'apprêtais à quitter la chambre pour aller jeter cette bêche de malheur dans la poubelle quand ma sœur m'arrêta par une question.

– Alors, il veut dire quoi ce message ?

Je pilai net sur le seuil du couloir et me retournai lentement vers elle avec espoir.

– Quel message ma bichette ?

– Ben, celui qui est gravé sur le manche. Tu ne l'as pas senti sous tes doigts ?

Je retournai vers la fenêtre et contemplai le manche en bois avec plus d'attention.

Ma sœur avait raison. Ce que j'avais pris pour de simples entailles dues à la vétusté de l'outil semblait beaucoup trop ordonné pour être dû au simple hasard. En y regardant de plus près, ces petites encoches ressemblaient à de minuscules trous d'aiguille faits avec la pointe d'un pyrograveur… comme celui avec lequel papa avait fait les ronds de serviettes de papi et mamie !

– Cés, tu es un génie.

– Pas exactement, les éducateurs disent que j'ai des capacités exceptionnelles dans certains domaines mais que je souffre de…

Je la coupai net en éclatant de rire.

– C'est une image ma puce, c'est juste pour dire que sans toi je n'aurais jamais prêté attention à ces petits trous et qu'il n'y avait que toi pour les remarquer, lui expliquai-je avant qu'elle ne me détaille sa pathologie.

Voyant que mon explication lui avait suffi, je me précipitai dans la salle de bains pour nettoyer l'outil en le débarrassant de la suie qui le recouvrait.

De gros filets d'eau noire s'écoulèrent vers la bonde tandis que les dernières traces de l'incendie disparaissaient sous le jet de la douche et que les détails de la gravure apparaissaient de plus en plus nettement.

Malheureusement, je n'étais pas plus avancé pour autant. Certes, ces petits trous disposés géométriquement formaient très certainement un message… mais lequel ?

Encore une fois, ce fut Césarine qui trouva la solution. Après avoir longuement observé la position des minuscules aspérités, elle passa le bout de ses doigts dessus avant de remarquer un détail dont je n'aurais jamais pu m'apercevoir.

– On dirait les petites lettres rondes que Jérémie utilise pour lire.

Bingo !

Jérémie, c'était un camarade de l'institut que fréquentait Césarine quand nous étions à Paris. Si ma sœur asociale s'entendait bien avec lui, c'est qu'elle déteste qu'on la regarde et qu'avec Jérémie il n'y avait aucune chance que ça se produise, car il est à la fois autiste… et aveugle !

Mon artiste adorée venait de mettre le doigt, c'est le cas de le dire, sur la solution de mon mystère.

Il y avait bien un message… mais il était écrit en braille.

– Heu… dis donc Cés, Jérémie, il ne t'aurait pas appris à lire le braille par hasard ?

Avec mon incroyable sœur, je pouvais m'attendre à tout et ça ne coûtait rien d'essayer. Assise sur son lit, elle balançait les jambes en me regardant comme si j'étais le dernier des abrutis.

– Les aveugles, c'est pas des extraterrestres, tu sais. Il y a un programme de traduction sur Internet… comme pour toutes les autres langues.

Zut, ma sœur avait raison et pour le coup j'avais vraiment l'air d'un idiot. De toute façon, il était trop tard pour aller vérifier ; je venais d'entendre le rugissement caractéristique du *chopper* de DeVergy et j'avais à peine le temps de prendre une douche avant d'aller les rejoindre à la bibliothèque.

Le mystère de la bêche devrait attendre encore quelques heures.

veritas pro mundo ignem vincit

Quand j'ai poussé la porte de la bibliothèque, papi et DeVergy étaient déjà installés, mais ce n'était pas une vraie réunion de famille ; ni mamie, ni maman, ni Césarine n'étaient là.

Cette histoire commençait vraiment à ressembler à une conspiration de machos.

J'aurais bien aimé vous dire que j'étais parfaitement à l'aise, mais en réalité je n'en menais pas large ; j'avais une furieuse envie de tourner les talons en brandissant les pouces en l'air comme si ce geste d'enfant pouvait annuler la partie.

Mais il était trop tard pour revenir en arrière : j'en avais à la fois trop et pas assez entendu. Il était temps pour moi de comprendre ce qui se tramait.

Au début, pas un ne s'est aperçu de ma présence ; papi dégustait un verre de cognac en faisant pensivement tourner le liquide ambré entre chaque gorgée. Face à la fenêtre, debout derrière le massif bureau de bois qui trônait dans la bibliothèque depuis la Révolution, il semblait perdu dans la contemplation de la nuit, tandis que DeVergy tournait comme un lion en cage devant les rayonnages. Il faut dire qu'il pouvait marcher un petit moment avant d'avoir fini de faire le tour de tous les livres entreposés ici.

Pour que vous compreniez mieux, il faut que je vous décrive l'endroit où nous nous trouvions, car ce n'était pas une bibliothèque ordinaire. J'ai toujours adoré cette pièce.

Suite au caprice d'un de nos ancêtres, cette bibliothèque avait été construite au cœur de la maison et tous les autres espaces de vie s'articulaient autour d'elle.

Pour l'époque, c'était une étrangeté architecturale car ce type d'espace, gigantesque, sans aucun cloisonnement et avec un plafond perché à plus de dix mètres, était normalement réservé aux cathédrales. Le plafond, exceptionnel, tout en bois de chêne, avait été confectionné par des maîtres charpentiers de marine et on y devinait sans peine la forme d'une coque renversée.

La bibliothèque donne sur l'extérieur par deux côtés. Sur le parc à l'ouest et sur la cour à l'est, tandis que les murs nord et sud sont couverts de livres.

Mais attention, n'allez pas imaginer ça comme de simples étagères poussiéreuses. Non, ces murs sont parcourus sur chaque niveau de mezzanines donnant accès au reste de la maison et qui ressemblent à d'immenses balcons intérieurs aux délicates rambardes de fer forgé.

En fait, vu du sol, on a un peu l'impression d'être dans une cour italienne… sauf qu'on est à l'intérieur et que les murs sont couverts de livres !

Le sol, lui, est dallé de pierres, patiné par les ans, mais égayé par de gigantesques tapis orientaux tandis qu'une vénérable cheminée réchauffe la pièce de sa présence. Sur le manteau de cette cheminée, un autre de nos ancêtres a fait graver le blason de notre famille : un phénix dressé sur un livre et marqué d'une croix vermeille entourée par notre devise : *Veritas pro mundo ignem vincit*, ce qui signifie en gros, pour les plus ignares d'entre vous : « La vérité triomphera du feu pour le bénéfice du monde. »

Oui, je sais, c'est pas au top de la modestie comme blason, mais en même temps comme, à part moi et quelques autres pauvres gosses menacés par leurs parents, plus personne ne fait de latin, on ne peut pas m'accuser de me la ramener avec mes origines.

En plus de l'architecture on ne peut plus originale de cette pièce, le mobilier contribue lui aussi à la rendre particulière. Comme personne dans cette famille ne jette jamais rien, vous avez l'impression de vous retrouver dans un musée. En plus des tables, statues, maquettes de bateau de toutes les époques et autres pièces de déco délirantes, mes ancêtres successifs ont accumulé ici tout un tas de sièges plus ou moins confortables et nous y avons tous nos habitudes.

Dernier en date, la chaise longue du Corbusier qui ressemble à un fauteuil de psy. C'est évidemment la place de mamie ; papi, lui, trône habituellement dans un des gros Chesterfield en cuir fauve ; maman préfère lire sur la méridienne en velours cramoisi de sa mezzanine et j'avais toujours vu papa travailler derrière le bureau.

Césarine est la seule à ne pas être trop fan de la bibliothèque. Depuis qu'on lui a interdit de « reclasser » les ouvrages avec sa méthode un peu particulière, elle reste généralement sur notre mezzanine, seul lieu où elle a été autorisée à ranger les livres comme elle le voulait. Notre balcon donnant sur l'étage des enfants, il ne conserve quasiment aucun livre ancien, à l'exception d'une édition originale des *Fables* de la Fontaine qui trône dans une vitrine. Autrement, on n'y trouve que des recueils de contes, des romans d'aventures, des albums, des livres d'images, des bandes dessinées, la vieille collection des bibliothèques verte et rose de maman ou la littérature jeunesse la plus récente comme mes *Harry Potter* ou *Artemis Fowl.*

Seule concession au XXIe siècle, papa a fait installer un accès Internet haut débit sécurisé… même s'il n'y a plus d'ordi sur le bureau vu que le portable de papa a disparu en même temps que lui.

D'habitude, j'adore venir dans la bibliothèque, mais ce soir-là, l'absence de papa derrière son bureau se faisait cruellement sentir, et j'aurais vraiment préféré être ailleurs.

Dès qu'il me vit, DeVergy cessa de faire les cent pas et s'avança vers moi en souriant.

– Salut champion. Alors, il paraît qu'en plus de te battre avec tes petits camarades tu t'es pris pour une salamandre.

Un humour aussi pourri ne méritait pas de réponse, aussi je préférai lui coller un vent et me dirigeai vers mon grand-père.

– Dis donc papi, je croyais que c'était une réunion de FAMILLE, dis-je en insistant bien sur le dernier mot. Je peux savoir ce qu'il fait ici le *biker* des bacs à sable ? ajoutai-je en désignant mon prof d'un geste nonchalant de la main.

Ma réplique n'était peut-être pas très sympa, mais n'oubliez pas que la dernière image que je gardais de mon prof, c'était celle d'un type qui serrait ma mère dans ses bras après l'avoir fait pleurer.

J'avais donc toutes les excuses du monde pour être désagréable. Malheureusement pour moi, papi n'était visiblement pas de cet avis et sa réponse me claqua aux oreilles comme un fouet.

– Ça suffit Auguste ! Marc fait beaucoup plus partie de notre famille que tu ne peux l'imaginer. Il t'a vu naître, c'est ton parrain, c'était le meilleur ami de ton père et, si ça ne te suffit pas, c'est aussi un adulte et ton professeur… Autant de raisons pour que tu cesses tes gamineries et que tu lui parles avec un minimum de respect.

Papi avait raison, j'avais merdé et je me suis excusé, même si j'étais un peu surpris d'apprendre que j'avais un parrain vu que je ne savais même pas que j'étais baptisé.

J'ai serré la main de DeVergy en signe de contrition et nous nous sommes tous installés près de la cheminée.

Un grand feu avait été allumé et ses ombres dansantes jouaient sur les visages des deux adultes assis en face de moi. Papi avait l'air fatigué, mais c'est pourtant lui qui prit la parole en premier.

– Que sais-tu de l'ordre des Templiers, Auguste ?

Dire que je fus surpris par la question est un faible mot, mais comme mon grand-père avait l'air sérieux, je mobilisai mes vagues souvenirs de 5e pour essayer de formuler une réponse intelligente.

– Pas grand-chose... Que c'étaient des moines soldats qui se sont battus lors des croisades et qu'ils ont été exterminés par un roi de France qui était jaloux de leur puissance et ne voulait pas leur rembourser l'argent qu'il leur devait ?

DeVergy éclata de rire.

– Au moins un dans cette famille qui ne s'embarrasse pas des détails, dit-il à mon grand-père. En même temps, tu avoueras que le petit n'a pas tout à fait tort et que sa version présente au moins l'avantage d'éviter les clichés officiels.

Papi arrêta DeVergy d'un geste et se carra dans son fauteuil sans lâcher son verre pour commencer ce qui allait, visiblement, être une longue histoire.

– Bien. Si tu regardes notre blason, tu constateras qu'il est composé d'un phénix orné d'une croix vermeille. Cette croix vermeille est un des symboles de l'ordre des Templiers. Notre famille, ainsi que celle de Marc et de ta maman, faisait partie d'une branche secrète de cet ordre dont le rôle était, et est encore aujourd'hui, de préserver la mémoire du monde pour que l'humanité continue de vivre dans la vérité. C'est ce trésor-là, et rien d'autre, que cherchait à retrouver le roi Philippe le Bel en torturant et massacrant les derniers templiers.

J'en restai comme deux ronds de flan et mon visage dut refléter toute mon incrédulité car DeVergy s'empressa d'enchaîner.

– Mais l'histoire de notre ordre remonte en fait bien plus loin, car il fut créé dès le IVe siècle avant notre ère par Alexandre le Grand. Selon la légende, ce serait la découverte d'un texte, le « Livre qu'on ne peut pas lire », qui aurait décidé Alexandre à conserver la mémoire du monde pour les générations futures.

– Et qu'est-ce qu'il a fait exactement, Alexandre ? demandai-je en l'interrompant.

Mon grand-père leva les yeux au ciel en grommelant que j'étais bien le fils de mon père, et DeVergy haussa les sourcils avant de me répondre.

– En fait, ce génial conquérant avait compris avant tout le monde que le pouvoir résidait dans la connaissance et que cette connaissance se conservait et se transmettait par l'écriture. Mais il avait aussi compris que rien n'est plus facile que de transformer, de falsifier ou de détruire les pensées des hommes. Une phrase réécrite, une autre qu'on oublie de recopier, un mot à la place d'un autre et c'est tout l'esprit d'une époque, toute la connaissance d'un peuple ou d'un grand penseur qui disparaît à jamais. Alexandre l'avait compris et ses conquêtes avaient aussi pour but de s'emparer et de conserver toute la mémoire écrite de l'humanité.

– Malheureusement, reprit mon grand-père, cette ambition ne resta pas suffisamment secrète et lui valut des ennemis puissants parmi les détenteurs de la pensée officielle que ce projet ne pouvait que déranger. Les prêtres de toutes les religions de l'époque, grecs, égyptiens, mazdéens, zoroastriens ; les juristes, les aristocrates et les potentats de toutes les nations ne pouvaient accepter qu'un homme détienne le pouvoir de prouver leurs mensonges ! Comment manipuler le peuple si le peuple avait un accès direct à la source de toutes les connaissances ? À cette époque, les hommes ne savaient pas lire, mais qu'arriverait-il si un jour la lecture était offerte au plus grand nombre ? Le projet d'Alexandre était grandiose : rassembler la pensée de l'humanité dans un lieu unique où elle serait préservée en attendant le jour où les hommes pourraient se l'approprier librement. La suite de ses conquêtes lui permit alors d'augmenter son trésor des écrits et de la sagesse de tous les peuples asservis… et Alexandre était le plus grand de tous les conquérants. En -332, il se rendit maître de l'Égypte, se fit couronner pharaon et posa les plans de la future Alexandrie dans le dessein d'y conserver son trésor ; en -330, il conquit l'Empire perse où il détruisit les bibliothèques après en avoir fait retirer ou traduire de nombreux volumes originaux. Il devint alors le seul détenteur des fondements de la science et de la philosophie orientale. Malheureusement pour lui, son projet d'union des trois grandes ères de pensée déclencha la panique chez ses adversaires. Le 10 juin -323, Alexandre mourut à Babylone, empoisonné par ceux qui sont encore nos ennemis aujourd'hui.

Je restai bouche bée devant le saut dans le temps que me faisait effectuer papi. Mais son histoire ne s'arrêtait pas là et à peine eut-il fini de boire son verre qu'il reprit son discours.

– Heureusement pour nous, Alexandre était le plus grand des stratèges et il avait anticipé la possibilité qu'il puisse être assassiné avant d'avoir achevé son projet. Ptolémée Soter, son principal lieutenant, avait été chargé de poursuivre son œuvre et la totalité du trésor réuni par Alexandre fut transférée à Alexandrie en même temps que son convoi funèbre. Dès qu'il le put, Ptolémée relança le projet de bibliothèque universelle d'Alexandre en envoyant des émissaires acheter des manuscrits aux quatre coins du monde connu, mais il ne se contenta pas d'acheter, il mit en place un service de « Traqueurs » qui rançonnaient les navires et les voyageurs en s'appropriant les manuscrits originaux et en les remplaçant par des copies. Aucun écrit ne fut négligé, même les « sagesses barbares » furent traduites et conservées. Des savants juifs furent même mandatés pour traduire en grec les textes hébreux, dont les textes de la bible qu'utiliseront ensuite les premiers chrétiens. La ville fut tout entière tournée vers cet objectif ; le port permit d'attirer un plus grand nombre de voyageurs et de marchands dans les filets des Traqueurs ; la bibliothèque fut bâtie pour conserver, traduire, archiver la sagesse du monde ; le phare fut voulu grandiose pour symboliser la lumière éclairant l'esprit des hommes. Les successeurs de Ptolémée poursuivront sa politique pendant huit siècles et feront d'Alexandrie une brillante capitale cosmopolite rayonnant sur l'ensemble de la Méditerranée.

Papi m'avait débité son discours lentement, d'une voix calme, en me regardant droit dans les yeux comme si, d'un simple regard, il lui était possible d'imprimer ses paroles dans mon esprit et de me convaincre de leur importance. Son bla-bla ressemblait à un mauvais cours d'histoire et pourtant, non seulement je ne l'avais jamais vu aussi sérieux, mais en plus ses paroles ne m'étaient pas totalement inconnues. C'était comme si je SAVAIS déjà ce qu'il me racontait…

Le problème, c'est que je ne voyais pas vraiment où il voulait en venir.

Le feu crépitait doucement dans la cheminée et le ronronnement de la voix de papi m'avait plongé dans une douce torpeur. J'imaginais les chevauchées d'Alexandre sur les rives de l'Indus, le feu détruisant Persépolis, les hurlements des soldats, le choc des armées. Bref, je m'endormais presque quand le bruit des bottes de DeVergy martelant les dalles de la bibliothèque me ramena au présent. Papi s'était tu et semblait plongé dans ses pensées, mais cet instant de silence ne devait pas durer. Accroupi devant la cheminée, un lourd tisonnier de fonte à la main, DeVergy replaça une bûche dans le foyer avant de reprendre le récit de papi là où celui-ci l'avait abandonné.

– Le projet d'Alexandre était sur le point de se réaliser, mais des forces ennemies œuvraient à sa destruction, manipulant les esprits faibles et assoiffés de pouvoir. Le Sénat romain fut le premier à former un complot contre la grande bibliothèque en envoyant César pour la détruire. Heureusement, convaincu par Cléopâtre, la dernière descendante de Ptolémée, de l'importance du projet d'Alexandre pour l'humanité, César choisit de sauver la plus grande partie des volumes. Pour duper le Sénat, il fit détruire quarante mille rouleaux de la bibliothèque, mais ceux-ci n'étaient que des copies de moindre importance destinées à l'exportation. Néanmoins, il devint alors clair que les textes n'étaient plus en sécurité à Alexandrie et, lorsque César fut assassiné, les originaux commencèrent à être déplacés.

Malheureusement, là encore, le projet universaliste de Cléopâtre et Marc Antoine échoua et, après avoir réussi à disperser les volumes dans les différentes parties de l'empire, ils se suicidèrent dans la bibliothèque pour ne pas risquer d'avouer à Octave où ils étaient cachés. Pendant toute la durée de son règne, Octave, devenu l'empereur Auguste, cherchera les volumes et le mythique « Livre qu'on ne peut pas lire » sans se douter une seconde que son ami Mécène était le nouveau Gardien du savoir du monde.

Je commençais à être un peu perdu parce que, pour moi, Alexandre le Grand était certes un grand conquérant hellénistique (faut pas croire, j'apprends mes cours d'histoire !), mais c'était surtout le type dont Lara Croft cherche le tombeau, tandis que je connaissais surtout César et Cléopâtre au travers des BD d'*Astérix* ! Là, le mélange Alexandre le Grand, César et les templiers me faisait surtout penser à un mauvais scénario d'*Indiana Jones* ! Comme à l'école, je levai la main pour interrompre le récit du prof avant de ne plus rien y comprendre.

– Et c'est quoi le rapport entre Alexandre le Grand, les Romains, les templiers, la mort de mon père et le fait que quatre débiles ont voulu me casser la figure à la sortie du collège ?

DeVergy et papi se regardèrent en soupirant et se mirent à parler entre eux.

– Je t'avais dit qu'il était trop jeune pour comprendre, soupira papi.

– Il n'est pas trop jeune, je l'ai vu se battre, il ne manque pas grand-chose pour en faire un bon combattant. S'il ne peut pas reprendre la place de son père en tant que Gardien pour le moment, je peux sûrement en faire un bon Traqueur, répliqua vivement DeVergy.

– Mais tu vois bien qu'il n'est pas prêt, il ne sait rien. Après la mort de Virgile, ses parents se sont enfuis à Paris et m'ont fait promettre de ne pas former leurs enfants. Il ne sait rien, rien du tout. Même si son père a tout fait pour le préparer physiquement, il est beaucoup trop tard pour en faire un initié…

– Georges, il faut l'initier, n'oublie pas qu'en tant que parrain j'ai mon mot à dire, et j'insiste pour qu'il ne soit pas laissé à l'écart. Que tu le veuilles ou non, pour les Autodafeurs, il est le successeur de son père ; c'est sa vie qui est en danger. Il doit connaître les enjeux, il doit connaître ses ennemis.

Les entendre parler de moi comme si je n'étais pas là commençait franchement à m'agacer. Il était temps pour moi de leur rappeler ma présence.

– Hé, je peux peut-être donner mon avis non ? À moins que vous ne préfériez que je vous laisse causer entre adultes ?

Deux paires d'yeux se tournèrent immédiatement vers moi ; mais si les verts semblaient amusés, les bleu-gris ne contenaient que lassitude et résignation. Je connaissais bien mon grand-père et je savais reconnaître le moment où il cédait. Ce moment était arrivé… mais il était écrit que je ne pourrais pas apprendre de révélations me concernant tant que papi n'aurait pas fini son cours d'histoire.

Il se rassit face à moi, prit le temps d'ôter, d'essuyer et de remettre ses lunettes avant de reprendre le fil de ses explications.

– La fuite des originaux de la grande bibliothèque, qui continua au cours des siècles de s'enrichir des textes des grands penseurs chrétiens et musulmans, se poursuivit ensuite au gré des guerres et des conquêtes. Mais leur conservation devenait de plus en plus difficile ; ils devaient échapper à la fois aux recherches des papes, des califes, des rois et des empereurs, bref de toutes les puissances politiques et religieuses ; celles-ci avaient beau se livrer entre elles une guerre perpétuelle, elles étaient toutefois en accord sur un point : ces connaissances ne devaient en aucun cas tomber aux mains du peuple.

Je poussai un énorme soupir à l'idée de voir défiler pendant des heures des noms de types, de lieux et de dates que je ne connaissais pas.

Papi me jeta un coup d'œil pour voir si je suivais toujours et dut avoir pitié de mon air abattu car il ajouta en souriant « qu'il me faisait grâce du détail des tribulations de la bibliothèque et de la liste de ses défenseurs ».

– Sache juste qu'au Moyen Âge, la majorité des livres étaient cachés en Orient par des érudits juifs et arabes et que c'est pour les trouver que les papes lancèrent les croisades qui aboutirent au saccage de la bibliothèque de Constantinople en 1204. C'est la menace des croisades qui poussa les nôtres à s'engager auprès des templiers où ils formèrent dans le plus grand secret un ordre interne destiné à assurer la protection de la bibliothèque d'Alexandre en Terre sainte. Quelle ironie de combattre l'objectif du pape en se cachant au sein de son bras armé le plus prestigieux.

– Pour faire court, le coupa DeVergy en me faisant un clin d'œil, nous veillons sur les textes fondamentaux de l'humanité pour éviter que des hommes sans scrupules les utilisent pour manipuler le peuple. Nous sommes les gardiens de la liberté de pensée et nous combattons tous les extrémismes, qu'ils soient religieux, politiques ou philosophiques.

Bon, j'avais compris le principe, mais j'avais du mal à saisir le côté pratique de la chose, ou en quoi protéger des vieux papiers pouvait nous mettre en danger de mort. Il était temps que je les oblige à être un peu plus précis.

– Et concrètement, on est censé faire quoi aujourd'hui ?

– Toujours pareil, les Traqueurs cherchent les documents perdus, les Gardiens conservent les originaux en lieu sûr et les Propagateurs surveillent et dénoncent les falsifications, me répondit DeVergy avant que papi ne reprenne la parole.

– Auguste, je sais que tu te passerais volontiers de mes cours d'histoire, mais il est important que tu ne brûles pas les étapes. Tu dois absolument connaître l'origine de notre ordre avant que je puisse t'expliquer le rôle qui est le tien. Donc, pendant les croisades, les templiers réussirent à rapatrier les manuscrits en Europe et les disséminèrent entre les différents membres de la Confrérie qui mirent en place le fonctionnement trinitaire dont Marc vient de te parler : pour chaque bibliothèque secrète, un Gardien, un Traqueur et un Propagateur. Malheureusement pour nous, à la même époque, nos ennemis, les Autodafeurs, s'organisèrent eux aussi dans une formation secrète dont l'unique but était de nous détruire. Soutenus par les plus hautes puissances politiques et religieuses, les papes, les rois, les empereurs, les dictateurs, ils nous traquent sans relâche depuis la fin des croisades et c'est la raison pour laquelle nous sommes tenus de vivre dans la clandestinité.

– Ben alors, comment ils ont fait pour nous retrouver ?

J'avais visiblement touché le point sensible, car papi baissa la tête en soupirant avant de me répondre.

– Je ne sais pas comment ils nous ont retrouvés mon bonhomme, mais ce qui est sûr, c'est que si j'avais été moins têtu, ton père serait toujours en vie.

– Ne dis pas n'importe quoi, Georges, le coupa DeVergy avec force, personne ne pouvait prévoir ce qui arriverait. Tu n'es pas responsable, ou alors nous le sommes tous autant que toi.

Même si les paroles de mon prof semblaient lui faire du bien, papi n'avait pas l'air totalement convaincu. Il se pencha vers moi et quand je plongeai mon regard dans le sien, je n'y lus qu'une profonde et insondable tristesse, mêlée d'un sentiment que je connaissais bien mais que je n'aurais jamais imaginé voir dans les yeux de mon grand-père : la honte. Quoi qu'il se soit passé, papi était visiblement convaincu que mon père, son fils unique, était mort par sa faute et je n'osais pas imaginer combien ce fardeau devait être lourd à porter.

– Quand ton oncle est mort, Marc et tes parents étaient convaincus que ce n'était pas un accident et ils m'ont supplié de passer dans la clandestinité. Mais cela faisait si longtemps que notre famille était à La Commanderie que je n'ai pas voulu croire qu'il s'agissait d'un meurtre. J'ai été aveugle et si ton père est mort aujourd'hui, c'est probablement à cause de mon acharnement à refuser l'évidence.

La détresse de mon grand-père était tellement forte que je refusai de le laisser ainsi se condamner sans rien dire.

– Mais ça fait plus de quinze ans que Virgile est mort ! Si vos ennemis vous avaient repérés, ils n'auraient pas attendu tout ce temps pour vous éliminer ! C'est idiot, ça ne tient pas debout ton histoire ! m'exclamai-je alors.

– C'est bien là la ruse, enchaîna DeVergy. Avec les années qui passaient, nous avons fini par manquer de vigilance. En fait, je n'ai aucune explication à te fournir. Je ne sais ni pourquoi ma moto a été trafiquée, ni pourquoi nous avons ensuite été tranquilles pendant quinze ans. Ma seule hypothèse, c'est que nous étions certainement tous sous surveillance et que si les Autodafeurs se sont décidés à frapper maintenant, c'est la preuve que ton père avait découvert quelque chose d'important. Le problème, c'est que nous n'avons pas la moindre idée de ce que ça peut être et qu'il nous est impossible de nous enfuir tant que nous ne le saurons pas. La veille de sa mort, ton père m'avait appelé pour m'en parler. Nous avions rendez-vous à La Commanderie et il m'avait promis de tout me dévoiler. Mais comme tu le sais, il n'en a pas eu le temps.

J'aurais vraiment aimé qu'ils me détrompent, mais papi resta silencieux tandis que DeVergy se plongeait dans la contemplation de ses tatouages sans rien ajouter.

C'en était trop pour moi, des milliers de questions se bousculaient dans ma tête sans que je sache vraiment par quoi commencer ; quelle devait être ma formation ? Qui étaient ces fameux Autodafeurs dont je devais me méfier ? Est-ce que je pouvais refuser d'endosser ce rôle ? Est-ce que ma sœur allait aussi devoir se battre ?

Tout ça me tombait dessus par surprise et le choc était violent.

C'était vraiment trop et la fatigue que j'avais accumulée ces derniers jours s'abattit sur moi d'un seul coup. Sans m'en rendre compte, je bâillai et fermai les yeux quelques secondes… enfin, ce qui me sembla quelques secondes !

Je ne sais pas si papi se décida finalement à me parler ; le ronronnement du feu ajouté au moelleux du canapé finit par avoir raison de moi et je m'endormis profondément en rêvant de chevaliers, de légionnaires et de bibliothèques en feu… et de mon père me racontant les mêmes histoires que celles que je venais d'entendre !

journal de Césarine

Pendant que mon frère discutait avec papi et le monsieur à la grosse moto dans la bibliothèque, je suis allée chercher la signification du message en braille sur l'ordinateur de papa.

Je n'aime pas la télévision, mais j'aime beaucoup Internet parce que c'est moi qui choisis ce que je veux voir, ou pas voir.

Papa m'a appris à m'en servir, mais c'est un secret entre nous parce que maman n'était pas d'accord.

C'est très simple :

1 : J'allume l'ordinateur en appuyant sur le rond percé d'une petite barre verticale dans sa moitié supérieure. Papa appelle ce bouton « le groin du cochon » car dès qu'on y touche, l'ordinateur se met à grogner. Là aussi, c'est une « image » parce qu'un ordinateur est une machine, pas un animal.

2 : Je tape « motdepasse » dans la case mot de passe. Ça, c'était mon idée.

3 : Si je veux voir les dossiers de papa, je mets la flèche sur « dossiers » et j'appuie deux fois sur la souris (là, ce n'est pas une « image », c'est idiot mais ça s'appelle vraiment comme ça).

Ensuite, il y a à nouveau des mots de passe, parce que papa ne voulait pas que j'aille voir ses dossiers, mais les mots de passe de papa sont très faciles à trouver.

Il y a : ma date de naissance pour le dossier « Césarine », la date de naissance de Gus pour le dossier de mon frère, celle de maman pour le dossier « famille ».

Pour tous les dossiers professionnels, c'est à chaque fois une date historique couplée avec le nom de l'événement. Par exemple : constantinople1204 ; actium-31, etc., etc.

À Paris, quand je n'arrivais pas à dormir, je prenais l'ordinateur de papa et je cherchais ses mots de passe.

Je sais que ça n'embêtait pas trop papa parce qu'une nuit, après avoir ouvert un dossier avec le mot de passe « journéedesdupes1630 », je n'ai trouvé que ce fichier :

Ma petite fouine

Ma petite fille est une artiste
mais aussi une sacrée coquine
qui est vraiment la plus maligne.
C'est une fouineuse spécialiste.

Ma petite fille est indiscrète
c'est la magicienne du mot de passe
et en un tour de passe-passe
elle trouve mes clés les plus secrètes.
Cherche ma petite fouine adorée.

Cherche mon enfant futée.
Tu trouveras que ton papa
a un immense amour pour toi.

D'habitude, je ne comprends pas grand-chose à la poésie, mais là j'ai bien vu que « la fouine » c'était moi et donc j'en ai conclu que papa savait que je fouillais dans son ordinateur et que ça ne l'embêtait pas trop.

D'ailleurs, le jour où il est mort, c'est moi qui avais son ordinateur dans ma chambre et, comme personne ne me l'a réclamé, je l'ai gardé.

4 : Si je veux aller sur Internet, je clique sur l'icône avec un grand **e** *entouré d'une ellipse jaune, puis je tape des « mots-clés » dans la barre vide en haut de l'écran et j'obtiens tout plein de propositions.*

Le plus compliqué, c'est de bien choisir ses « mots-clés » parce que, là, ce n'est pas « une image » : chaque mot a vraiment le pouvoir d'ouvrir une « porte » vers la connaissance. Il faut être précis, sinon on tombe sur n'importe quoi. Par exemple, un jour j'ai tapé « Monsieur bizarre » pour augmenter ma collection des « Monsieur-Madame »... Eh bien je suis tombée sur des photos de messieurs qui faisaient des « choses bizarres », et c'est là que maman m'a interdit d'utiliser l'ordinateur.

Mais bon, maintenant je maîtrise très bien les « mots-clés ».

Pour trouver la signification du message gravé sur la bêche, j'ai tapé « alphabet braille + traduire », et je suis tout de suite arrivée sur le bon site.

Le plus difficile a été de ne pas me tromper en recopiant les petits points mais, à part pour quelques lettres qui ne voulaient rien dire, j'ai fini par y arriver.

Le résultat est étrange parce que ce message parle d'un des lieux indiqués sur mon plan.

Donc :

1 :

Se traduit par :

« Au cœur du bois du temple la chapelle oubliée refuge des mousquetaires mdcccxliv »

2 : Chercher où se trouve « le bois du temple ».

le sourire de Mona Lisa

C'est une bonne odeur de chocolat et une douleur dans la nuque qui me réveillèrent le lendemain matin.

J'étais toujours dans la bibliothèque, le feu était mort et le jour entrait à flots par les portes-fenêtres de la terrasse. Quelqu'un, probablement papi, m'avait glissé un coussin sous la tête et une couverture sur le dos, mais je prenais douloureusement conscience qu'un canapé n'a pas l'ergonomie souhaitée pour une bonne nuit de sommeil.

J'étais en train de m'étirer pour tenter de chasser mes vilaines courbatures quand je m'aperçus que ma sœur m'observait du fond d'un grand fauteuil.

– J'aime pas être là, bougonna-t-elle.

– Ben alors, pourquoi tu y es ?

– Parce que maman m'a demandé d'aller « réveiller la belle au bois dormant dans la bibliothèque »… sauf que les contes de Perrault sont dans notre chambre et qu'ici il n'y a que toi, donc je ne sais pas quoi faire.

Si j'avais pu, j'aurais éclaté de rire, mais il était hors de question que je prenne le risque de vexer Césarine.

– Heuu… c'est moi la « belle au bois dormant » ma bichette, c'est juste une expression pour dire que j'ai probablement beaucoup dormi. Tu sais quelle heure il est ?

– Il est 9 h 32… mais tu n'es pas une fille, donc maman aurait dû dire « le beau au bois dormant ».

– Oui Cés.

– Et ici il n'y a pas de « bois dormant »… par contre il y a un bois du temple, mais je ne sais pas où il est, et il y a un garçon qui parle bizarrement qui t'attend dans la cuisine. Je pense qu'il est malade parce qu'il se secoue la poitrine quand il se présente.

Et sur ces mots, ma sœur se leva pour filer sans plus d'explication.

J'avais beau être habitué aux raccourcis un peu étranges de Césarine, là, j'avoue que j'étais complètement largué. Il était urgent que je me remette les idées en place et la cuisine me semblait le meilleur endroit pour cela. D'abord parce que l'odeur du chocolat me faisait gargouiller l'estomac, mais aussi parce que j'étais curieux de savoir ce que Néné faisait ici. Autant je n'avais rien compris à cette histoire de « bois du temple », autant je doutais fortement qu'il puisse exister un autre « garçon se secouant la poitrine » que cet hurluberlu que j'avais pour condisciple à Sainte-Catherine.

Quand je réussis à me traîner dans la cuisine, je pus constater que je ne m'étais pas trompé ; assis au bout de la grande table de ferme, mon pote se goinfrait en enfournant les délicieuses tartines au miel de ce qui aurait dû être MON petit-déjeuner !

– Hé, le ventre sur pattes ; te gêne pas surtout ! Ça tombe bien... après une semaine à déguster des repas gastronomiques dans leur clinique de luxe, je n'ai pas du tout faim !

– Cool ! Alors, je peux manger la dernière tartine ?

Visiblement, ma sœur n'était pas la seule à avoir du mal à comprendre le second degré. Néné n'avait pas décelé la note de sarcasme dans ma voix et si je voulais avoir une chance de manger quelque chose, j'avais intérêt à être un peu plus explicite.

– Bien sûr que non abruti. Je crève la dalle, ils devaient avoir le même fournisseur que la SPA là-bas... encore que j'hésite entre le choix de la préposition : bouffe POUR chiens, ou bouffe DE chien. J'ai vécu l'enfer, alors aie un peu pitié et lâche cette tartine avant que je devienne méchant.

Néné me tendit la tartine à regret en me lançant un regard digne d'une campagne de récolte de fonds contre la malnutrition en Afrique et je pus, enfin, calmer mon estomac torturé.

Je devais avoir vraiment très faim car, en temps normal, la vision de Néné aurait dû me couper l'appétit. Je ne pensais pas que ce fût possible, mais son aspect était encore pire que la dernière fois.

Non content de porter les mêmes tennis pourries, son pantalon en velours maronnasse élimé et une chemise à carreaux jaune et caca d'oie, il avait tenté de coiffer sa coupe au bol avec du gel et le résultat était, comment dire, entre l'horrifiant et le pathétique... « horrifique » donc !

– Qu'estche t'a fait à tes cheveux, baragouinai-je la bouche pleine de pain.

– Ah oui, t'as remarqué, c'est cool hein ! répondit-il en tournant bien la tête pour me permettre de contempler le désastre. Comme la dernière fois tu avais l'air de ne pas trop aimer ma coupe, j'ai décidé de me coiffer comme toi, ajouta-t-il avec un grand sourire.

Je faillis en mourir étouffé.

Comment pouvait-il oser comparer la coiffure de rêve que j'avais mis des mois à élaborer, que je soignais avec amour tous les jours à grand renfort de gel déstructurant et de sèche-cheveux, avec ce truc indescriptible qu'il avait sur la tête ?

On aurait dit le résultat d'une expérience génétique ratée entre un hérisson, une poule et un balai à chiottes. Quant à la substance qu'il avait ajoutée pour faire tenir tout ça en l'air, vu l'odeur, je doutais fortement que ce soit de la marque de luxe.

– C'est quoi ton gel ?

– T'es fou toi, c'est pas du gel ! s'exclama-t-il. Les cosmétiques, c'est bourré de produits chimiques dangereux pour la santé, je veux pas mourir jeune moi, me répondit-il d'un air horrifié.

– Ben c'est quoi alors ce truc que tu as sur tes cheveux ?

– C'est un mélange maison : graisse de porc pour l'effet mouillé et blanc d'œuf pour le fixant. Tu crois que je devrais déposer le brevet ?

– T'inquiète, personne te piquera l'idée. Par contre, tu devrais ajouter un p'tit quelque chose pour le parfum, genre lavande ou chocolat pour attirer les filles.

– Excellent, super idée. Tu crois que ça va marcher, parce que les filles, d'habitude, elles ne me calculent pas trop…

Décidément, Néné n'était vraiment pas le pro du second degré.

Qu'est-ce que vous vouliez que je réponde ?

Il avait l'air si pathétique avec ses fringues bizarres et sa coupe d'un autre monde que je n'ai pas eu le cœur de l'achever et j'ai préféré changer de sujet.

– Bon alors, qu'est-ce que tu fais là ?

– Je t'ai amené tous les cours pour que tu puisses rattraper ce que t'as raté. D'autant que la semaine prochaine y a un paquet de devoirs et compte pas sur les profs pour te dispenser. Tu verrais la réputation que t'a faite Le Négrier… c'est du délire.

– Vas-y, raconte, je suis curieux d'entendre ça.

– Le dirlo a convoqué toute l'école vendredi, quand DeVergy n'était pas là, et il nous a dit de bien faire attention parce que tu étais « psychologiquement instable », que tu étais violent et que tu avais des « tendances suicidaires ». Évidemment, il a pas dit ça comme ça ; il a dit que tu avais « besoin de notre soutien », que nous devions « te surveiller pour te protéger de toi-même » et tout un tas de conneries du même ordre, mais tout le monde a traduit que t'étais un putain de psychopathe dégénéré.

– L'enfoiré !

– Et attends, c'est pas tout. Les frères Montagues racontent partout que tu les as agressés sans raison ; faut dire que la tronche du plus petit ne plaide pas en ta faveur, tu l'as sacrément démonté le Bartolomé, alors ne t'attends pas à la haie d'honneur pour ton retour.

Là c'était trop.

Moi qui avais toujours voulu faire partie des élèves les plus populaires, c'était la fin de ma carrière. Le Négrier et les frères Montagues m'avaient définitivement pourri ma réputation.

J'étais grillé.

Dorénavant, pour tout le monde, je serais le pauvre frapadingue incapable de se maîtriser, le type à éviter absolument. Et vu la taille de la ville, ce n'était même pas la peine de changer de bahut.

– Et mec, ça va ? T'es tout pâle. T'inquiète pas pour ces blaireaux, tu m'as moi, je sais bien que c'est que des conneries et je te laisserai pas tomber. Et puis, les frères Montagues sont des gros abrutis, personne ne peut les saquer, ça leur fait pas de mal de se prendre une raclée. Par contre, la prochaine fois, change de punching-ball… t'as cogné le moins con des quatre.

Pauvre Bart. J'avais comme dans l'idée que ses frères lui avaient fait chèrement payer de ne pas s'être joint à la bagarre de l'autre soir.

– C'est eux qui me sont tombés dessus, soupirai-je en secouant la tête. Non seulement je n'ai fait que me défendre, mais en plus je n'ai pas touché un seul cheveu de Bart. En fait, je le connais bien, c'est un copain d'enfance ; ou c'était, je ne sais plus trop où on en est tous les deux aujourd'hui.

– Ben, alors, c'est qui qui l'a amoché comme ça ? Parce que si tu voyais sa tronche, on dirait qu'il est passé sous un camion. Méga œil au beurre noir et nez cassé. Pas beau à voir le Bartolomé.

– J'en sais rien. Mais comme l'autre soir, c'est le seul qui est resté à l'écart, son frère a dû vouloir lui rappeler qui commande.

– Ouais, y a des chances. Tu sais comment on les appelle au collège les aînés des frères Montagues ?

– Non, vas-y, balance.

– Les BCG.

– Et alors ?

– Ben, en cours de sciences, on a appris que le BCG, c'était un vaccin contre la tuberculose préparé à partir d'une souche de bacille tuberculeux bovin. Alors tu parles que, quand on a vu que c'était aussi les initiales des prénoms de ces trois abrutis, on a tout de suite fait le rapprochement avec leur côté bovin… et mauvais comme des virus.

– Ça a dû les rendre dingues !

– Même pas, le plus drôle c'est qu'eux-mêmes sont très fiers de leur surnom, ils imaginent qu'on les a appelés comme ça parce qu'ils nous font peur, alors que c'est juste pour leur côté abruti.

C'était bien vu et on a passé un bon moment à se moquer de Bernard-Gui, Conrad et Guillaume, en finissant d'engloutir le petit-déjeuner avant de se mettre à bosser.

Après les révélations de papi et de DeVergy, je n'avais pas trop la tête à rouvrir mes cahiers, mais passer quelques heures avec Néné et redevenir un simple collégien avait au moins le mérite de me faire oublier mes problèmes. En plus, malgré son air bête, il était sacrément doué dans les matières scientifiques et carrément un dieu vivant en techno. Moi qui suis franchement nul en informatique, je restai scotché devant la vitesse à laquelle il pianotait sur les touches de son ordi et c'est là que je dus me rendre à l'évidence : j'étais pote avec un *geek* !

N'empêche que quand maman nous appela pour déjeuner, le boulot était entièrement terminé.

– Ça te dirait de rester déjeuner avec nous ? lui demandai-je pour le remercier.

– Tu m'étonnes, c'est que j'ai comme un p'tit creux moi !

Après tout ce qu'il s'était enfilé au petit-déjeuner, j'allais finir par croire que ce type avait avalé un ver solitaire, mais je n'ai pas eu le temps de commenter son insatiable appétit car maman nous criait déjà de venir nous asseoir.

La table était dressée sous le tilleul, dans l'ancien potager de La Commanderie. L'été c'était un des endroits les plus agréables car les grands murs de pierre, les carrés de tomates, de plantes aromatiques et les petits arbres fruitiers nous préservaient de la chaleur et diffusaient un inimitable parfum.

– Trop bien ton jardin, siffla Néné avec enthousiasme, en plus on peut se servir directement pour le dessert, ajouta-t-il en chipant une fraise des bois dans une plate-bande.

– C'est mal poli de se servir sans demander la permission, lui lança ma sœur depuis la balancelle. Sauf si tu es un oiseau, ou un lapin, parce que eux, ce sont des animaux et ils prennent les fraises pour se nourrir. Mais toi tu n'es pas un animal, même si tu es malade et que tu as une drôle de coupe de cheveux. Alors tu dois demander la permission.

– Heuuu… elle me raconte quoi là, la schtroumpfette ? me demanda Néné avec l'air abasourdi du type qui vient de tomber nez à nez avec un alien.

– Je ne suis pas une « schtroumpfette », renchérit Césarine, sinon je serais bleue et minuscule et qu'en plus je n'existerais pas en vrai parce que c'est un personnage de bande dessinée. Je suis une personne humaine, ajouta-t-elle en le fusillant du regard.

J'allais intervenir avant que la discussion tourne au cauchemar quand je fus devancé par la voix traînante d'une toute petite fille que je ne connaissais pas et qui se balançait à côté de Césarine.

– Moi… j'aiiime… les fraiiises et… aussssi… les laaapins.

Avec son immense sourire et sa petite robe plissée, elle ressemblait à une jolie poupée asiatique au teint de porcelaine et, chose absolument incroyable, ma sœur lui tenait la main.

– C'est Sara, on va toutes les deux à l'institut et je lui ai donné un de mes lacets « Monsieur-Madame ». Elle m'aime bien. C'est mon amie, et elle va m'apprendre à sourire. Regarde, j'y arrive déjà un peu.

Césarine se mit alors à se concentrer et à redresser les coins de sa bouche dans ce qui ressemblait plus à une grimace qu'à un sourire.

Si ça n'avait pas été elle, je pense que j'aurais éclaté de rire, mais en fait, c'était si émouvant de la voir essayer de sourire avec tant d'application que je sentis ma gorge se nouer pendant que je papillonnais désespérément des paupières pour empêcher mes émotions de déborder.

Ce qui était en train de se passer était tellement incroyable que j'en avais oublié la présence de Néné. Je n'avais aucun souvenir de ce que j'avais pu lui dire à propos de ma sœur et je redoutais un peu sa réaction face au spectacle, pour le moins étrange, que devaient présenter ces deux petites filles hors norme.

Il avait beau être mon pote, je savais par expérience qu'on ne peut jamais savoir comment les gens réagiront face à ce qui est différent. Parfois, même les plus intelligents se comportent comme des gros cons ; ce n'est pas toujours volontaire ; ce n'est pas toujours fait méchamment, mais les remarques désagréables sur mon artiste de sœur sont la chose au monde que j'ai le plus de mal à supporter.

Avec la finesse de Néné, je craignais le pire… Mais j'avais tort, car il répondit à ma sœur comme seul le plus grand des princes pouvait le faire.

– Alors là, je retire ce que j'ai dit. Je me suis trompé, tu n'es pas une schtroumpfette mais la princesse du sourire ; même la Joconde n'aurait pas fait mieux, lui déclara-t-il en la saluant d'un coup de chapeau imaginaire. Et vous mademoiselle Sara, ajouta-t-il en s'inclinant derechef, vous êtes aussi jolie qu'un rayon de soleil de printemps et votre voix est plus agréable que le clapotis d'un ruisseau sur des pierres moussues.

Sacré Néné !

Je respirai d'un coup en le regardant d'un autre œil.

Ce type était peut-être un *geek* et le collégien le plus mal sapé et le plus mal coiffé de la création, mais c'était aussi un prince et je commençais à réaliser que je n'avais peut-être plus qu'un seul ami… mais que c'était le meilleur.

journal de Césarine

Aujourd'hui, Sara est venue à la maison. C'est la première fois que j'ai « une amie » et c'est bizarre, mais ça me fait « quelque chose ».

Je crois que c'est ce que mamie appelle « un sentiment » et ça, c'est vraiment nouveau pour moi.

D'habitude, je ne fais la différence qu'entre « me sentir pas bien » et « me sentir bien », et c'est assez simple à repérer parce que j'ai fait deux listes :

Liste ☹
– quand je suis dans un endroit que je ne connais pas.
– quand je suis avec des gens que je ne connais pas.
– quand les gens me touchent.
– quand il y a trop de bruit.
– quand il faut lire une page entre 1 et 21.
– quand les gens utilisent des « images » que je ne comprends pas.

Liste ☺
– tous les moments qui ne sont pas sur la liste ☹.

Vous voyez, c'est simple.

Mais avec Sara, c'est différent, comme s'il fallait que j'ajoute une liste ☺ ☺ où j'écrirais :
– être avec Sara.

J'ai même touché la main de Sara alors que ça, normalement, c'est sur la liste ☹.

Quand elle m'a pris la main pour la première fois, c'était dans la cour de l'institut quand un garçon l'a traitée de « dingo ».

J'ai expliqué au garçon qu'un dingo, c'était un animal vivant en Australie ou un personnage de Walt Disney et que Sara n'était ni l'un, ni l'autre, mais il a continué jusqu'à ce qu'un éducateur vienne le chercher.

Au début, j'ai cru qu'elle me tenait la main parce qu'elle avait peur ; alors j'ai fait un effort et je ne l'ai pas repoussée, mais quand j'ai regardé ses yeux, j'ai compris qu'elle n'avait pas peur et qu'elle voulait juste me dire que les paroles de ce garçon n'avaient pas d'importance.

En fait elle voulait me rassurer…

Sa petite main était douce et chaude, mais aussi un peu épaisse et moite. C'était une drôle de sensation, pas vraiment agréable, mais pas effrayante non plus, alors je l'ai laissée faire et, bizarrement, sa main et son sourire m'ont donné la sensation d'être plus légère… même si je sais que c'est idiot parce que pour être plus légère, il aurait fallu que je me déshabille ou que je vomisse mon déjeuner.

À la maison, on a rencontré le copain de Gus, il dit qu'il s'appelle Néné alors qu'il s'appelle Robert ; c'est un surnom.

Il est très étrange comme garçon. Il s'habille comme les SDF qu'on voyait dans la rue à Paris et met une pâte qui sent mauvais sur ses cheveux, mais comme il ne s'est pas moqué de Sara, alors j'ai accepté de lui parler.

Je lui ai demandé s'il savait où était le bois du temple et il m'a dit que oui, même qu'il paraît que La Commanderie est bâtie dedans. Par contre, il ne sait pas où se trouve la chapelle et il n'en a jamais entendu parler, mais il a promis de demander à son grand-père parce qu'avant, il était garde champêtre et connaît très bien toutes les terres de la commune.

J'aurais bien aimé que Gus participe à la conversation comme ça j'aurais pu lui parler du message de la bêche, de la chapelle, du bois du temple, du monsieur qui a volé les papiers de papa et de celui qui a brûlé la remise, mais mon frère était trop occupé à discuter avec la grande sœur de Sara.

J'ai eu un peu peur parce que son ami Néné a parlé de « bombe » et de « coup de foudre », mais j'ai bien regardé le ciel et j'ai su que ce n'était pas possible parce qu'il n'y avait ni bombardier, ni orage.

Par contre, c'est sûr que mon frère n'avait pas l'air bien.

Ses joues étaient toutes rouges et au lieu de parler normalement, il se tenait devant la sœur de Sara en se dandinant et en ricanant comme un idiot.

Je voyais bien que la situation n'était pas habituelle parce que même maman rigolait à moitié en parlant « d'hormones » et elle a même ajouté que c'était « vraiment le printemps » alors qu'on y est déjà depuis soixante-quatre jours.

Il y a des jours où j'ai du mal à comprendre pourquoi c'est Sara et moi qui nous faisons traiter « d'anormales »...

Donc :

1 : Ajouter Néné à la liste des « gens auxquels je parle ».
2 : Créer la liste ☺☺ pour tout ce qui est mieux que ☺.
3 : Aller dans les bois pour chercher la chapelle.

là où je suis tombé amoureux

Beaucoup de choses pourraient résumer les dernières semaines que nous avons vécues avant les vacances mais, la vérité, c'est que la seule dont j'aie vraiment envie de me souvenir, c'est Isabelle.

Comme c'était la première fois que Sara venait chez nous, sa sœur l'a accompagnée pour être sûre que tout se passe bien et elle est restée à La Commanderie.

Quand elle s'est avancée vers nous alors que nous étions encore en train de discuter avec les deux fillettes, sur le coup, la seule chose qui me vint à l'esprit fut… rien ; et le seul son qui réussit à franchir mes lèvres (en même temps qu'un bout de fraise qui se posa délicatement sur mon polo blanc) fut : « Arrrggggg… »

Quand le reste de la fraise fut enfin éjecté de mon œsophage à grands coups de claques dans le dos par Néné qui pensait que je m'étouffais, j'étais rouge, sale, baveux… et devant moi se tenait la plus belle créature qu'il m'eût été donné de contempler.

Bref, j'avais l'air d'un con et le sourire qu'elle m'adressa après avoir salué Néné d'un petit signe de tête ne fit rien pour atténuer cette impression.

– Bonjour, je suis Isabelle, la sœur de Sara. Tu dois être Argus, le frère de Césarine ?

Elle avait beau avoir la main tendue, je marquai un temps d'arrêt. C'était quoi ce prénom pourri par lequel elle m'avait appelé ?

– Heuuu... moi c'est Auguste ou Gus. *Argus* c'est le nom d'un magazine de voitures d'occase ! répliquai-je un peu plus froidement que je ne l'aurais souhaité.

Malgré tout, elle ne se démonta pas et haussa les épaules avec une moue charmante.

– Désolée, je ne voulais pas te vexer, mais Sara ne prononce pas toujours très bien les mots qu'elle ne connaît pas et j'avais compris Argus. Je n'étais pas là le jour de ton arrivée à Sainte-Catherine, mais nous sommes dans la même classe.

Ça, c'était la meilleure nouvelle de l'année. Enfin, si j'arrivais à lui faire oublier la première impression désastreuse que j'avais dû lui laisser !

J'aurais voulu être dans un film et avoir le pouvoir de mettre sur pause, le temps d'aller me changer et me coiffer, pour revenir ensuite au moment de son arrivée et refaire une entrée un peu plus à mon avantage.

Mais la vie n'est pas comme au cinéma et il était dit que, malgré tout le soin que j'accordais à mon look, la plus belle fille du monde se présenterait chez moi le jour où j'aurais dormi sur un canapé et où je porterais encore de vieilles fringues froissées et puantes.

Bon, il faut avouer à ma décharge que mon aspect négligé n'avait pas l'air de la déranger plus que ça et, malgré le monde qui nous entourait, on a pu bavarder tranquillement quelques instants. Enfin… surtout Isabelle, parce que moi j'étais trop occupé à l'admirer pour faire autre chose que ricaner bêtement à chaque fois qu'elle ouvrait la bouche.

Je traversai le déjeuner sur un petit nuage car, par miracle, Isabelle décida de s'asseoir à côté de moi et à part Césarine qui voulait absolument me parler de je ne sais quoi à propos d'un bois, d'une chapelle et d'un plan, personne ne vint nous déranger.

Isabelle me raconta certainement quantité de choses, et je devais découvrir par la suite qu'elle était capable de parler ainsi plusieurs heures sans se lasser, mais je me souviens à peine quels sujets furent abordés ; le collège, nos sœurs, les activités du village probablement… Mais moi, tout ce qui m'intéressait, c'était de me saouler de son visage, de sa peau cuivrée, de ses yeux vert émeraude, de sa longue chevelure brune indisciplinée. Ce que je voulais, c'était m'emparer de sa main légère aux doigts fins et délicats et aux jolis ongles nacrés, ne plus m'éloigner de ses longues jambes musclées à peine cachées par un micro short en jean effrangé et par les lanières montantes de sandales d'amazone qui se glissaient comme de minuscules serpents le long de ses mollets bronzés.

Isabelle me parlait et je me perdais dans le débit chantant de sa voix, en admirant ses lèvres qui s'entrouvraient sur la plus éclatante des dentitions. Son sourire était éblouissant, son regard envoûtant, son parfum enivrant… Bref, j'étais amoureux !

Quand, en fin d'après-midi, elle entra dans la maison pour chercher sa sœur, je restai debout comme un idiot en fixant la porte par laquelle elle venait de disparaître avec au fond des yeux une image résiduelle de son visage d'ange. Et je serais certainement resté là jusqu'à la nuit si les paroles de Néné ne m'avaient pas fait brutalement redescendre de mon petit nuage.

– Laisse tomber mec. Belle, c'est chasse gardée. Alors oublie ! Même pas en rêve tu t'en approches.

Évidemment, tout à mon fantasme, la seule chose que j'avais retenue c'était le surnom qu'il lui avait donné.

– Belle… C'est vrai que ça lui va à merveille, soupirai-je en continuant à rêver de baisers langoureux et de promenades main dans la main.

– Ho ! Y a quelqu'un là-haut ? Tu m'écoutes un peu ! cria-t-il en m'agitant ses mains devant les yeux ; je te dis de lâcher l'affaire. Si on la surnomme « Belle », c'est pas seulement pour son physique, c'est aussi parce que c'est la chasse gardée de « La Bête »… Tu sais Bernard-Gui, ton super pote, celui qui a déjà essayé de te casser la gueule sans aucune raison. Tu penses qu'il réagira comment quand il saura que tu tournes autour de sa nana ?

Encore sous le coup de ma poussée de phéromones j'éclatai de rire, et tentai de le rassurer en précisant que « La Bête » en question n'avait pas réussi à m'envoyer au tapis et que je me faisais fort de lui piquer sa copine sans récolter la moindre égratignure.

– De toute manière, concluais-je un peu présomptueusement, on n'est plus au Moyen Âge, si Isabelle décide de le quitter pour rejoindre l'homme de sa vie, alias moi, ton serviteur, ajoutai-je en saluant Néné d'un coup de chapeau imaginaire, qu'est-ce que tu veux que Bernard-Gui y fasse ? Il ne va pas l'enchaîner en haut d'un donjon tout de même ?

– Ben, n'en sois pas si sûr. Les deux derniers qui ont essayé de s'approcher d'Isabelle se sont retrouvés à l'hosto avant d'avoir le temps de dire « ouf » et il y en a même un qui a carrément dû changer de collège.

Je n'en croyais pas mes oreilles.

– Tu déconnes là. Il se prend pour qui ce mec pour imposer sa loi comme ça ? C'est Ben Laden ? Il pratique la charia ou quoi ? D'où Isabelle serait sa propriété ? Réveille-toi, mon grand, c'est fini l'esclavage !

– Ouais, dans ton monde peut-être, mais ici les règles ne sont pas tout à fait les mêmes qu'à Paris. Ce crétin est amoureux de cette fille depuis la maternelle et jamais personne n'a eu le droit de l'approcher. C'est un dingue et comme il a le soutien du Négrier et que son père est aussi le maire et le premier employeur du village, ça lui donne de sacrés moyens de pression sur la population.

– Mais il a quoi comme boîte pour être aussi puissant son père ? Ce n'est pas Bill Gates tout de même ?

– Ben, en fait, t'es pas si loin que ça. Sa famille a fait fortune en développant les premiers systèmes de photocopieurs à la fin des années soixante-dix et aujourd'hui ils sont les leaders mondiaux dans le domaine des scanners.

– Ici ? Dans ce trou à rats ?

– Merci pour le trou à rats ! Je te rappelle que toi aussi t'es originaire d'ici, alors faudrait voir à pas trop cracher dans la soupe Votre Altesse Sérénissime, me lança Néné visiblement vexé.

Oups ! J'avais merdé. Il allait vraiment falloir que j'apprenne à me débarrasser de mes réflexes puants de Parisien.

– Désolé mon pote, je suis qu'un gros naze. Alors c'est quoi comme marque ces scanners ? demandai-je dans l'espoir de changer de sujet.

– Godeyes Scan.

– Jamais entendu parler.

– Normal, ils ne travaillent que sur d'énormes projets avec des grandes bibliothèques, des universités ou carrément des gouvernements.

– Mais comment tu sais tout ça, toi ?

Néné haussa les épaules.

– J'ai pas de mérite, mon père travaille pour eux à la saisie des données et ma mère est employée de maison dans leur domaine.

Je comprenais mieux à présent comment Néné pouvait en savoir autant sur les Montagues. J'avais beau avoir été très copain avec Bart quand j'étais gosse, j'avoue que je ne me souvenais pas du tout de ce que faisait sa famille. À l'époque, c'était presque toujours lui qui venait jouer à La Commanderie et je n'avais pas dû aller chez lui plus de deux ou trois fois. Je profitai donc d'avoir une source de première qualité sous la main pour essayer d'en savoir plus sur mon adversaire.

– Et il est si influent que ça dans le village ?

– On a jamais rien pu prouver, mais le garçon qui a été obligé de changer de collège, figure-toi que son père s'est fait virer de son boulot juste après que son fils s'est mis en tête de draguer Isabelle.

– Non, mais on nage en plein délire ! On est en France ici, pas dans une dictature soviétique ou dans une tribu arriérée du fin fond du tiers-monde. Personne ne s'est jamais plaint ? Y a des lois tout de même dans ce pays.

– Rêve pas mon pote. Ici, le père Montagues dirige la ville et son fils aîné dirige le collège. C'est comme ça. Et je sais de quoi je parle ; comme pour eux le personnel de maison est encore moins important qu'un meuble, si tu savais tout ce que ma mère a pu voir et entendre chez eux, tu serais dégoûté.

– Mais tout de même. Qu'est-ce qu'elle peut bien lui trouver, Isabelle, à ce gros lard décérébré du bulbe ?

– Tu sais, avec elle il est différent, toujours souriant, prévenant. En plus, le père d'Isabelle les a abandonnées, sa mère et elle, après la naissance de Sara, et c'est la famille Montagues qui s'est occupée de leur fournir un logement et de prendre en charge les frais de l'institut pour la petite le temps que sa mère finisse sa formation d'infirmière et trouve du travail. Du coup, ça crée des liens.

– Ouais… En gros, il l'a achetée.

J'étais abasourdi par ce que je venais d'apprendre et j'avais du mal à imaginer qu'on puisse encore vivre comme ça en France au XXIe siècle. La situation que me décrivait Néné ressemblait plus à la vie d'un domaine seigneurial du Moyen Âge qu'à celle d'un village de la république, et je ne comprenais pas pourquoi les habitants laissaient perdurer une telle situation.

Ça, c'était bien les adultes… toujours prêts à vous faire de beaux discours sur « l'égalité, la liberté, la fraternité » et « les valeurs de la république », toujours prêts à vous coller des cours d'éducation civique et à donner des leçons aux autres pays, mais quand il s'agissait d'agir sur son propre territoire… plus personne !

Il faudrait que je pense à dire à mamie qu'avant de vouloir libérer le Tibet, il faudrait peut-être qu'elle songe à libérer notre village !

J'en étais là de mes réflexions révolutionnaires quand le charmant visage de ma princesse réapparut tout à coup.

Cette fois-ci j'étais prêt, d'autant que l'idée de piquer sa copine à ce connard de BG la rendait encore plus belle et qu'il fallait reconnaître à ma décharge qu'elle-même n'avait pas jugé utile de me préciser qu'elle avait un copain. J'allais lui lancer mon sourire le plus ravageur (le numéro trois) quand l'expression de détresse que je lus sur son visage me fit comprendre que quelque chose de grave venait de se produire et que ce n'était pas le moment de commencer mon numéro de charme.

– Les filles ont disparu, ça fait vingt minutes qu'on les cherche partout, nous lança-t-elle en se tordant les mains d'un air affolé. Elles ne sont plus dans la maison.

– Et vous n'avez aucune idée de l'endroit où elles sont parties ?

– Ton grand-père dit qu'elles sont venues lui demander une boussole il y a une heure. Il pensait que c'était pour jouer dans la maison, mais comme elles ont enlevé leurs chaussures et que les deux paires de bottes de ta sœur ne sont plus là, il pense qu'elles sont parties dans les bois.

– C'est possible, ta sœur est venue me demander où était le bois du temple tout à l'heure, ajouta Néné.

– Tu as raison, elle m'en a parlé aussi, me rappelai-je d'un coup.

– Aidez-nous à les chercher, il faut absolument les retrouver avant la nuit, nous supplia Isabelle.

journal de Césarine

J'écris mon journal dans ma tête parce que j'ai peur, que je n'ai pas mon cahier, et que je suis dans le noir.

Sara est assise à côté de moi, elle chantonne doucement.

Je lui donne la main parce que je sais qu'elle aussi a peur.

Ça fait une heure et trente-deux minutes que la porte s'est refermée derrière nous en nous emprisonnant.

Je le sais parce que j'ai compté toutes les secondes.

Ça en fait 4 752.

Comme je ne peux pas rester sans rien faire, j'écris mon journal dans ma tête, comme ça je n'aurai plus qu'à le recopier en rentrant à la maison.

C'est ma faute si on est enfermées dans le noir, mais aussi celle de mon frère parce qu'il n'a pas voulu m'écouter.

Toute la journée, j'ai essayé de lui parler du message de la bêche et du plan volé, mais lui il ne pensait qu'à discuter avec la sœur de Sara.

C'est comme si quelqu'un lui avait débranché le cerveau (même si je sais que c'est impossible parce que, dans ce cas-là, il serait mort et que là, il avait juste l'air idiot). Tout l'après-midi, il a passé son temps à loucher sur Isabelle pendant qu'elle prenait la pose en tortillant ses cheveux autour de ses doigts et en battant des cils. Même qu'à un moment j'ai demandé à Sara si sa sœur n'avait pas un problème à l'œil, mais Sara m'a dit que non et que sa sœur faisait ça quand un garçon lui plaisait.

Du coup, j'ai compris qu'il ne m'écouterait jamais et j'ai décidé d'aller chercher la chapelle sans lui.

Je pensais que ce serait facile car son copain m'avait dit que la forêt autour de La Commanderie s'appelait « le bois du temple » et que j'avais réussi à déchiffrer le plan de papa.

C'était simple :

Le gros bâtiment en bas à droite, c'était la maison. (Même s'il y avait un bâtiment en plus, on reconnaissait bien l'allure générale de La Commanderie avec sa cour et le potager).

La chapelle était en haut à gauche.

J'en ai déduit qu'elle se situait donc au nord-nord-ouest de La Commanderie et il n'y avait plus qu'à marcher en ligne droite dans la bonne direction pour tomber dessus.

Comme ça :

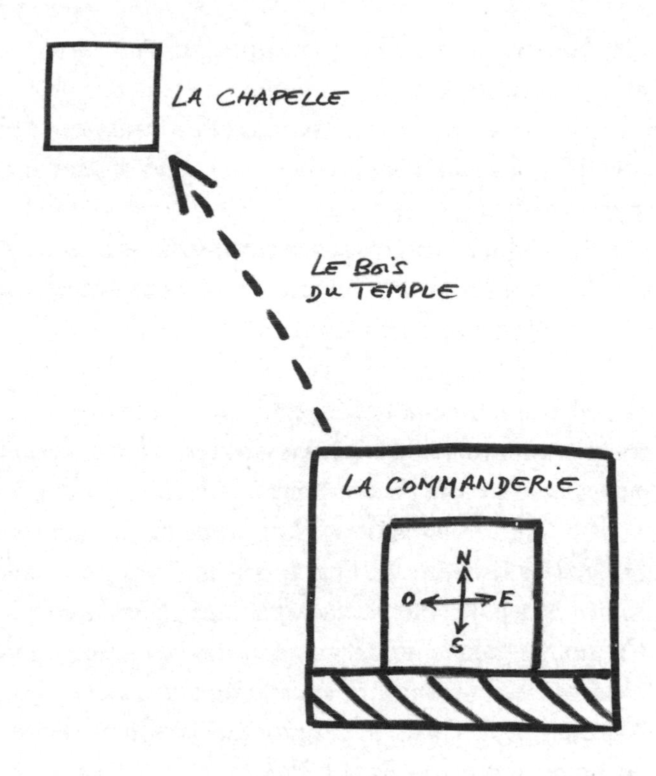

C'était logique, et moi j'aime bien les choses logiques.

Tout ce qu'il nous fallait, c'était une boussole et des bottes.

J'ai demandé la boussole à papi et j'ai attendu que maman parte en ville faire des courses car je savais qu'elle ne voudrait pas nous laisser aller dans les bois.

Donc, on a mis des bottes et dès que maman est partie, on s'est faufilées dans la forêt.

Sara était contente de se promener car elle aime les animaux et que, dans une forêt, il y en a plein.

On a croisé une poule faisane, tout plein d'écureuils et même un petit chevreuil. Sara a dit que c'était « Bambi » mais je lui ai expliqué que non.

En dernier, on a vu un gros lapin qui était occupé à grignoter dans une clairière. Comme c'était joli, on s'est arrêtées et on s'est accroupies sans faire de bruit pour l'observer ; mais le lapin a levé la tête, a agité les oreilles et est parti en bondissant.

J'ai dit à Sara de rester cachée car, avant de s'enfuir, le lapin n'avait pas regardé dans notre direction et qu'il avait donc dû avoir peur d'autre chose.

J'ai bien fait.

À peine une minute après le départ du lapin, on a vu quatre personnes s'avancer sous les arbres. Elles essayaient de ne pas faire trop de bruit et semblaient chercher quelque chose. On n'a pas vu leurs visages parce qu'on était toujours cachées derrière les buissons, mais je sais qu'elles étaient quatre parce que j'ai compté huit chaussures.

En fait, ce n'étaient pas vraiment des chaussures, mais plutôt des bottines montantes noires, au bout arrondi, avec des semelles très épaisses et des gros lacets. Ça ressemblait un peu aux chaussures orthopédiques que portent les garçons de l'institut qui ont du mal à se déplacer parce qu'ils sont « handicapés moteur ».

Attention, ici, même si ça fait penser à une voiture, ce n'est pas une image. Marie m'a expliqué qu'un « handicapé moteur », c'est quelqu'un qui a des difficultés « motrices », c'est-à-dire pour faire certains mouvements, et que ça n'a rien à voir avec une voiture dont le moteur serait en panne.

Avant qu'elle me l'explique, je croyais que ces « handicapés moteur » étaient des robots avec des problèmes mécaniques et j'avais demandé à Marie pourquoi ils voyaient le kinésithérapeute et pas un mécanicien.

Mais bon, là, j'ai bien vu que malgré leurs bottines bizarres, ce n'étaient pas des « handicapés moteur » parce qu'ils n'avaient pas de difficulté à se déplacer.

Normalement, ces hommes n'auraient pas dû être là car c'est une « propriété privée » ; ça veut dire que c'est chez nous et que les gens n'ont pas le droit de venir sans permission.

Comme papi avait dit qu'il pouvait y avoir des braconniers dans la forêt, j'ai eu très peur et j'ai fait signe à Sara de ne pas faire de bruit et de se glisser avec moi sous les buissons.

Ils se sont arrêtés juste à côté de nous.

On pouvait entendre ce qu'ils disaient et ils n'étaient pas très polis.

« – Elle est où cette putain de chapelle ! Ça fait des semaines qu'on cherche, ils ne sont quand même pas si grands que ça ces bois ! a dit celui qui avait les plus grands pieds.

– Mais ça fait au moins six fois qu'on repasse ici BG, c'est impossible qu'on l'ait ratée, papa a dû se tromper.

J'ai entendu un bruit de gifle et celui d'un corps qui tombe tandis qu'une paire de bottines s'envolait en arrière.

– Père ne se trompe JAMAIS, vous entendez ! Alors, on continue de chercher en restant discrets pour ne pas tomber sur un de ces dégénérés de Mars. Et si jamais on en croise un, on dit juste qu'on cherche notre chien qui s'est échappé et on rentre à la maison ! Y en a encore un qui a quelque chose à dire ?

– …

– Bien, alors au boulot, bande de nazes. »

J'ai été fâchée de l'entendre nous traiter de « dégénérés », mais j'ai aussi été surprise car j'ai compris qu'ils cherchaient la même chose que nous. Sara aussi a dû avoir peur car elle a sursauté en répétant « BG » et les autres l'ont entendue.

« – C'est quoi ce bruit ? Va voir ce que c'est, le nabot ! Ça venait de ces buissons ; comme tu n'es pas plus épais qu'un rat, tu ne devrais pas avoir de mal à te faufiler. Pour une fois que tu peux nous être utile », a ricané grandes bottines.

On était bien cachées, mais il n'a pas fallu longtemps pour que la plus petite paire de pieds nous trouve. J'allais me mettre à crier quand Sara m'a serré la main en chuchotant « gentil Bart ». Le garçon lui a répondu tout doucement « Chut... cache-cache Sara » avant de se relever et de crier aux autres : « Y a rien ici à part un terrier de lapin », et puis il est reparti après nous avoir fait un clin d'œil et déposé un papier près de Sara.

On est restées longtemps sans oser bouger et puis j'ai pris le papier. C'était une photocopie du plan qui avait été volé sur le bureau de papa. Le même que celui que j'avais dessiné de mémoire, sauf que sur celui-ci, il y avait beaucoup plus de détails. C'est ce qui m'a permis de retrouver la chapelle !

En fait, elle n'était vraiment pas loin, mais on aurait pu passer mille fois à côté sans la repérer si je n'avais pas été habituée aux chantiers de fouilles archéologiques où maman nous emmène faire des stages chaque été.

Gus dit qu'il aime bien l'archéologie parce qu'il y a plus de filles que de garçons sur les chantiers... Je trouve que c'est une drôle de raison.

Moi j'aime aussi, mais c'est parce qu'il n'y a pas beaucoup de monde et que c'est très calme ; chacun est concentré sur son carré à déblayer, ou sur son bout de mur à remonter, et personne ne vient m'embêter.

Même que les bénévoles aiment bien travailler avec moi parce que je remarque toujours tous les petits détails et que je suis très forte pour repérer les zones à creuser en priorité.

C'est simple, il suffit d'étudier la couleur ou la hauteur de l'herbe, la forme du terrain, le type de plantes qui poussent, et on peut avoir une idée de ce qu'il y a en dessous.

Là, dans les bois, ce n'était pas aussi facile, mais en me concentrant j'ai repéré un mur assez bas qui se prolongeait sur des dizaines de mètres. Évidemment, on ne voyait pas « un mur », sinon tout le monde l'aurait trouvé, mais en regardant bien il était évident que les ronces et les broussailles étaient un peu plus hautes et un petit peu plus rectilignes que la normale.

Avec Sara, on a écarté les plantes et on a fini par trouver des pierres... des pierres grossièrement taillées qui n'avaient certainement pas été mises là par les lapins !

Au bout d'environ deux cents mètres (c'est difficile à dire avec plus de précision parce que des arbres poussaient sur le mur et qu'on a dû faire des détours), le mur tournait à angle droit, alors j'ai compris que c'était une enceinte et que la chapelle était forcément au milieu.

Le truc, c'est qu'à cet endroit, la forêt n'était pas entretenue et qu'elle était quasiment infranchissable ; alors on a continué de suivre l'enceinte jusqu'à ce qu'elle s'interrompe et, enfin, en nous glissant sous un gros massif de genêts, on a fini par réussir à passer.

Derrière cette barrière de plantes et de pierres, bien cachée sous une épaisse végétation et d'immenses chênes touffus, il y avait bien une minuscule chapelle.

Elle était un peu envahie par les broussailles, mais on voyait tout de même ses murs en pierre, une petite ouverture en forme d'ogive sur un des côtés et une porte encadrée de deux fines colonnes encastrées, typiques du Moyen Âge.

Sara était toute contente et elle répétait « On... l'aaa trou... véé » en sautillant.

Je savais qu'on n'aurait pas dû entrer dedans parce que sur les chantiers archéologiques, ils parlaient souvent du « danger des structures instables », mais il y avait des choses pas logiques qui me faisaient penser que cette chapelle était certainement bien plus solide qu'elle n'aurait dû l'être après plusieurs siècles passés à pourrir dans les bois.

D'abord, elle avait une porte en bois et ça, ce n'est pas possible parce que le bois, même peint et traité, se décompose relativement rapidement dans un milieu humide.

En plus, à certains endroits du toit, on voyait qu'il y avait des plaques en tôle ondulée, et la tôle ondulée n'existait pas lors de la construction de la chapelle ; je le sais parce que j'ai appris la liste des inventions françaises pour connaître les noms des objets qui s'appellent comme des personnes.

Par exemple la poubelle a été inventée par monsieur Poubelle, l'écriture braille par monsieur Braille et la guillotine par monsieur Guillotin. Par contre, la tôle ondulée n'a pas été inventée par monsieur Ondulé, mais par monsieur Carpentier en 1851, ce qui est très loin du Moyen Âge.

On aurait bien aimé entrer, mais il y avait un cadenas à code sur la porte. Ça aussi ce n'est pas du Moyen Âge.

Sara était déçue ; alors j'ai essayé de trouver la combinaison.

Comme on était sur les terres de La Commanderie, j'ai d'abord essayé la date de naissance de papa, mais ça n'a pas marché. Je n'ai pas essayé les nôtres parce qu'elles étaient trop récentes, mais j'ai cherché toutes les dates historiques ayant un rapport avec « le temple » et « la chapelle » dont je me souvenais. Le problème, c'est que sans Wikipédia, c'était difficile. J'ai tenté 1520 pour le couronnement de Charles Quint à Aix-la-Chapelle, 0070 et 7000 pour la destruction du temple de Jérusalem, mais ça n'a pas marché.

Alors je me suis souvenue que sur le manche de la bêche, il y avait aussi des lettres qui ne voulaient rien dire : mdcccxliv.

J'ai réfléchi et je me suis dit qu'en chiffres romains, ça donnait MDCCCXLIV, et là ça voulait dire 1844, et c'était l'année où Alexandre Dumas avait écrit Les Trois Mousquetaires.

Ça, je le savais parce que j'ai trouvé un vieux livre des Trois Mousquetaires sur le lit de mon frère et que je l'ai lu pendant qu'il était à la clinique... enfin, sauf les vingt-deux premières pages !

J'ai essayé à nouveau, et même si le cadenas était un peu rouillé, c'était le bon code et on a pu ouvrir la porte.

Malheureusement, on avait dû faire trop de bruit car les garçons qui cherchaient la chapelle nous ont entendues.

Au moment où on est entrées, la porte a claqué et on a entendu le clic du cadenas qui se refermait.

Sara a hurlé ; je leur ai crié de nous laisser partir, mais ils ne m'ont pas écoutée.

Je n'ai pas pu entendre tout ce qu'ils disaient parce que Sara criait trop fort, mais j'ai compris qu'ils n'étaient pas d'accord entre eux. La voix la plus grave parlait de nous faire « disparaître » mais une autre, beaucoup plus aiguë, l'a traitée de « cinglé ». J'ai même entendu mon prénom et celui de Sara, mais cela n'avait pas l'air de gêner celui qui avait la voix grave car il rigolait en disant « bon débarras, un fardeau de moins pour la société ». Je crois même qu'ils se sont bagarrés parce que j'ai entendu des bruits de coups.

En fermant les yeux, j'arrivais à imaginer le combat et je pense que la voix aiguë s'est pris une sacrée raclée parce qu'on l'a entendue gémir un long moment.

Après avoir gagné la bagarre, celui qui voulait se « débarrasser » de nous a cherché à rouvrir la porte, mais cet idiot avait tourné les molettes du cadenas sans mémoriser le code.

Il a pris une voix toute douce pour nous demander de lui donner la combinaison, mais « voix aiguë » nous a crié de ne rien dire, alors j'ai gardé le silence, et « voix aiguë » s'est repris un coup et depuis, on ne l'a plus entendue.

Ils ont essayé un bon moment de défoncer la porte, mais elle était trop solide et ils ont abandonné.

Ils ont dit que personne ne nous trouverait et qu'on avait qu'à « crever là ».

Il y a une heure qu'ils sont repartis en nous laissant dans le noir.

Sara chantonne.

Je lui tiens la main.

J'ai peur.

J'aimerais bien que quelqu'un vienne nous chercher mais, en attendant, je vais compter les dalles et me faire un plan de la salle dans la tête.

là où mon grand-père se transforme en super-héros

Dès qu'Isabelle nous a prévenus de la disparition de Sara et de Césarine, nous nous sommes précipités à leur recherche. Malheureusement, nous n'étions pas très nombreux ; maman était partie avec mamie, et papi n'a pas voulu l'appeler pour ne pas l'inquiéter.

Il n'y avait donc qu'Isabelle, Néné, papi et moi pour quadriller les bois, et pour couvrir le plus de terrain possible, nous nous sommes tous séparés.

Il était convenu de se retrouver au bout d'une heure maximum ; mais lorsque je suis revenu dans la cour, personne n'avait rien trouvé et même papi, le roi de la zenitude, commençait à s'inquiéter.

– J'ai repéré des traces de lutte dans une clairière au nord-ouest, en limite de propriété, là où les bois sont les moins bien entretenus. Je pense qu'il est temps de prévenir la police, nous ne sommes pas assez nombreux et s'il y a des braconniers, je préfère que vous n'alliez pas seuls dans la forêt.

Ce n'était pas une bonne nouvelle et j'ai bien vu qu'Isabelle se retenait de pleurer. J'allais la serrer dans mes bras pour la soutenir quand on a vu un type en treillis, salement amoché, sortir de la forêt.

Même si je ne suis pas fan des uniformes, j'avoue que le pauvre faisait peine à voir ; il avait la lèvre fendue, une paupière si gonflée qu'elle était totalement fermée et il boitait lamentablement. Il avait l'air exténué et s'est effondré dans l'allée avant d'arriver jusqu'à nous.

Papi s'est précipité en nous criant de rester à distance, mais Néné et moi n'en avons pas tenu compte. Nous savions bien qu'il n'y avait rien à craindre de ce type parce que nous l'avions reconnu : c'était Bart !

Vu de près, le pauvre était encore en plus mauvais état ; son visage était à peine reconnaissable sous un mélange de terre et de sang séché et sa lèvre fendue laissait apparaître une gencive à vif et le logement vide d'une dent arrachée.

Il avait visiblement du mal à rester lucide et papi nous a demandé de prendre soin de lui et de le questionner sans le brusquer pendant qu'il allait appeler une ambulance.

Il aurait dû inspirer la plus grande pitié à Isabelle, mais à peine eut-il prononcé le prénom de sa sœur qu'elle nous bouscula pour lui sauter dessus.

– Où est Sara, espèce de salaud ! Qu'est-ce que tu lui as fait ! cria-t-elle en le secouant dans tous les sens.

Même si j'étais assez épaté par sa fougue, il fallait lui faire comprendre que sa méthode d'interrogatoire n'était pas très productive.

– Heuuu… Isabelle, même si Bart veut dire quelque chose, ça m'étonnerait qu'il y arrive avec tes genoux sur la poitrine. Il devient tout bleu là… je pense qu'il faut vraiment que tu le laisses respirer maintenant.

Elle s'est arrêtée d'un coup et a lâché le pauvre Bart comme s'il l'avait électrocutée. Elle regardait ses mains comme si elles appartenaient à quelqu'un d'autre et semblait drôlement secouée.

– Bart ? Je suis désolée, je ne t'avais pas reconnu, je ne sais pas ce qui m'a pris… C'est quand tu as parlé de Sara… j'ai tellement peur qu'il lui soit arrivé quelque chose que je crois que j'ai pété un plomb.

Et elle s'est jetée dans mes bras en pleurant.

Bon, je mentirais en disant que je n'ai pas été un tout petit peu content, mais j'étais surtout désorienté et il était tout de même plus urgent de faire quelque chose à propos des fillettes que de me vautrer au creux des bras de la fille de mes rêves ; donc je n'en ai (presque) pas profité.

Néné avait eu la bonne idée d'aller chercher à boire et Bart a enfin réussi à reprendre son souffle pour nous parler.

– Ze fais où font les filles… elles font enfermées dans z'une efpéce de vieille sapelle à l'autre bout du bois, prefque en limite de propriété. Ze crois que ze peux réufir à vous zy emmener.

– Mais qu'est-ce qu'elles font là-bas ? Et pourquoi elles sont enfermées ? Et pourquoi tu es dans cet état-là d'ailleurs ? le bombarda Isabelle sans lui laisser le temps d'essayer de se lever.

Au regard que nous lança Bart, Néné et moi comprîmes immédiatement que le moment n'était pas aux explications… Ou tout au moins que Bart ne dirait plus rien devant la sœur de Sara.

– Laisse tomber, Isabelle, ce n'est pas urgent de savoir pourquoi. L'urgence, c'est de récupérer les filles et pour ça il faut repartir fissa dans les bois avec Bart. Cours chercher mon grand-père, c'est lui qui connaît le mieux la forêt.

J'ai dû trouver les mots justes parce qu'Isabelle a enfin lâché notre blessé.

Pendant qu'elle se précipitait vers la maison, Bart nous a résumé ce qui s'était réellement passé dans la forêt.

C'était un peu compliqué à comprendre, surtout avec sa lèvre fendue et sa dent en moins qui le faisaient zozoter, mais dans les grandes lignes nous avons saisi que ses frères et lui recherchaient les ruines d'une chapelle médiévale à l'aide d'un vieux plan que leur père leur avait donné. Il leur avait assuré que la chapelle appartenait à leur famille et était sur leurs terres, mais visiblement, ce n'était pas le cas et quand ses fils s'en étaient rendu compte, il était entré dans une colère noire et les avait sommés de poursuivre les recherches en cachette.

– Quand z'ai vu Sara et ta fœur cafées dans les buifons, z'ai eu peur de la réaction de mes frères et z'ai préféré faire comme si ze ne les z'avais pas vues. Ze leur ai donné mon plan pour qu'elles puifent revenir ici parce que ze penfais qu'elles z'étaient perdues, mais malheureufement, au lieu de retrouver leur chemin, elles z'ont trouvé la sapelle. Mes frères les z'ont entendues et les z'ont enfermées.

Jusque-là, c'était assez logique, mais il y avait tout de même quelque chose qui me chiffonnait.

– Mais pourquoi tu es dans cet état ?

– BG était comme un dingue, il difait que fi on les laifait repartir, ton grand-père comprendrait qu'on cherchait la sapelle et que notre père ferait furieux. Comme ze n'étais pas d'accord il m'a tabafé et ze me suis évanoui. Quand ze me fuis réveillé, ils z'étaient partis mais les filles étaient toujours à l'intérieur. Ze suis venu ifi le plus vite que z'ai pu mais il faut abfolument retourner là-bas avant eux !

– Aller où ? s'écria papi qui venait d'arriver avec Isabelle.

Il nous fallut moins de cinq minutes pour expliquer à papi l'endroit que nous cherchions et son visage se décomposa.

– C'est ma faute. Césarine m'avait posé la question et je lui ai dit que je ne savais pas où était la chapelle. J'aurais pourtant dû me douter que cette petite futée trouverait la solution toute seule... Auguste, tu viens avec moi ! Isabelle, tu t'occupes de Bart ! Inutile qu'il nous accompagne, je connais le chemin. Néné, tu files à La Commanderie et tu appelles Marc DeVergy, son numéro est dans le répertoire. Dis-lui de nous retrouver à la chapelle de toute urgence, il comprendra.

Moi qui avais toujours vu mon grand-père sous les traits d'un gentil Père Noël, je découvrais qu'il pouvait aussi se transformer en un impressionnant chef de guerre.

D'un seul coup, il avait l'air plus grand, sa démarche était plus assurée, sa voix habituellement douce et posée se faisait nette et tranchante. Pas une hésitation dans son regard, pas un doute dans son esprit.

Le type derrière lequel je m'élançai en courant vers l'orée de la forêt avait tout d'un guerrier et pas grand-chose d'un philosophe à la retraite, et je m'aperçus que j'avais intérêt à forcer mon allure si je ne voulais pas me laisser distancer.

là où je prends ma revanche

Courir dans les bois n'est pas la chose la plus aisée au monde et j'étais obligé de me concentrer sur mes pieds pour ne pas m'affaler. C'est probablement à cause de ça que je ne vis pas mon grand-père s'arrêter et que je m'écrasai littéralement sur lui comme une grosse mouche sur un pare-brise de voiture.

– Chuttt, me lança-t-il d'un air excédé, on arrive trop tard, les Montagues sont déjà là.

Je ne voyais rien mais, effectivement, j'entendais des voix qui se disputaient. À la suite de mon grand-père, je me glissai en rampant sous de gros buissons et émergeai en bordure d'une clairière invisible depuis le chemin.

Allongé dans ce que je préfère imaginer être de la boue (mais qui avait tout de même une forte odeur de déjection animale), je tendis le cou dans la direction que m'indiquait mon grand-père.

Devant une petite chapelle médiévale qui aurait pu avoir du cachet si elle n'avait pas été restaurée par des adeptes d'un style « bidonville » à faire hurler les architectes des bâtiments de France se tenaient quatre gugusses tout droit sortis d'un mauvais jeu de guerre.

Habillés de treillis et de rangers, cheveux rasés sur la nuque, visages dissimulés par des sticks de camouflage… Bref, le parfait quatuor des nostalgiques d'une époque où virilité rimait avec testostérone (oui, je sais, ça rime pas… mais vous avez compris ce que je voulais dire non ?).

J'en ai reconnu trois sur les quatre. Mes trois potes de l'autre soir, j'ai nommé les BCG Bernard-Gui, Conrad et Guillaume Montagues ; et pas besoin d'être grand clerc pour deviner l'identité du quatrième.

Aussi grand et massif que son fils aîné, mais avec une bedaine qui peinait à rentrer dans la ceinture de son treillis, des cheveux poivre et sel rasés à la G.I. Joe et un vocabulaire à peine digne d'un mauvais rappeur. Je découvrais enfin l'homme qui employait et faisait trembler tout le village, le géniteur des terreurs du collège, alias Montagues père : monsieur le maire en personne.

Visiblement, ils venaient juste d'arriver car la porte de la chapelle était toujours fermée. Ils étaient en plein conseil de guerre.

– Et où est passé votre minable de frère ? Je croyais que vous l'aviez laissé là pour surveiller !

– Cette petite tapette a certainement eu peur de rester tout seul dans la forêt. Il a dû se traîner à la maison pour se faire consoler par sa mômaan, ricana Bernard-Gui avant de se prendre une gifle magistrale de son père.

– Un Montagues respecte la femme qui l'a mis au monde, Bernard-Gui ! Que je ne t'entende plus jamais parler comme ça de ta mère ! Compris !

– Oui, père. Je suis désolé, père.

J'avais beau savoir que ce type était le dernier des crétins, j'avoue que le voir ainsi se faire humilier par son père devant ses frères me faisait mal pour lui. Je commençais à comprendre ce qui avait pu le rendre si détestable.

Néanmoins, le regard qu'il lança à son père me fit froid dans le dos… Si monsieur Montagues pensait qu'il tenait ses fils en laisse, j'espérais pour lui qu'il ne leur tournerait jamais le dos car il risquait fort d'avoir de mauvaises surprises !

Grand-père regarda sa montre en soupirant.

– Marc ne pourra pas être là avant au moins vingt minutes. Tu vas devoir m'aider à les tenir en respect le plus longtemps possible, me chuchota-t-il.

– Tenir quoi ?

Grand-père me lança un regard surpris qui me donna l'impression d'être une amibe sans cervelle.

– Et tu penses les empêcher comment d'utiliser leur coupe-boulon pour forcer le cadenas, Einstein ? me répliqua-t-il en désignant du menton l'outil que tenait BG entre les mains. Je leur propose un Scrabble ou tu me prouves que j'ai eu une bonne idée en obligeant tes parents à te confier à maître Akitori ?

Là je ne comprenais plus rien. Qu'est-ce que mon grand-père avait à voir avec mes cours ?

– Qu'est-ce que tu racontes, papi, c'est l'ambassade du Brésil qui a fourni les coordonnées de mon prof à papa.

– Quel naïf tu fais, mon grand. Maître Akitori est le deuxième plus grand maître mondial d'arts martiaux et tu pensais qu'il aurait accepté de donner des cours à un gamin de neuf ans, comme ça, juste pour tes beaux yeux ?

Là, il marquait un point.

C'est vrai que j'avais toujours trouvé un peu bizarre d'être quasiment le seul élève du dojo et de ne jamais faire de compétitions extérieures, mais comme j'aimais beaucoup maître Akitori et que notre proximité me faisait penser au film *Karaté Kid*, je n'étais jamais allé chercher plus loin.

– Alors maître Akitori connaît la Confrérie ?

– Mieux que ça, c'est un ancien Traqueur du continent sud-américain qui s'est exilé après le massacre de sa famille par la dictature militaire brésilienne. Depuis, il s'est retiré du service actif mais forme une partie des futurs Traqueurs de la Confrérie dès leur plus jeune âge.

– Ce qui fait que tous ceux que j'ai rencontrés là-bas sont aussi des membres de la Confrérie ?

– Exactement.

Whaou… Je repensais d'un coup à Lorenzo l'Italien super sympa et à Ethan l'Écossais trop cool avec lesquels maître Akitori avait organisé des combats l'année dernière pendant mon stage de vacances et, quelque part, ça me fit vraiment plaisir de me dire que j'appartenais à une grande famille, à un club hyper fermé auquel on aurait pu donner un nom du genre « les chevaliers du livre » ou « les L men ».

J'en étais là de mes réflexions quand papi me ramena brutalement à la réalité.

– Alors, prêt à me montrer ce que tu es capable de faire ?

Bon, je m'en doutais un peu, mais disons que c'était justement la réplique que je ne voulais pas entendre.

J'aurais bien pris mes jambes à mon cou, mais ma sœur et sa copine étaient dans cette chapelle et j'étais la seule personne à pouvoir empêcher ces espèces de tarés de leur faire du mal.

Papi dut lire dans mes pensées car, tout en se redressant, il me murmura.

– Allez, courage mon grand, et pense à la devise du Cid : « À vaincre sans péril, on triomphe sans gloire. »

Ça, c'était typiquement le genre de réplique qui m'aurait bien plu si j'avais réussi à me souvenir comment se terminait la pièce !

C'est donc en me demandant avec angoisse si le Cid se faisait trucider ou s'il s'en sortait à la fin de l'histoire que je me levai à mon tour pour faire face aux quatre échappés de *Modern Warfare*.

Le moins que je puisse dire, c'est que notre entrée en scène ne passa pas inaperçue.

– Tiens, tiens... regardez les sales bestioles qui se cachent dans les buissons de cette forêt, dit le père Montagues en prenant ses fils à témoin, l'aïeul Mars et son cinglé de petit-fils ! Ils t'ont laissé sortir de l'asile mon grand ? Fallait libérer une place pour ta dégénérée de sœur ou pour ton pépé sénile ?

Visiblement, ses fils avaient l'air de trouver ça très drôle, mais j'avais du mal à goûter la plaisanterie.

Il était temps que j'utilise mon légendaire sens de la repartie pour les remettre un peu à leur place

– Je t'ai chauffé la place, du gland, parce qu'à mon avis, il ne faut pas être très sain d'esprit pour se déguiser en Rambo avant d'aller courir dans les bois. Personne ne t'a jamais dit que t'avais plus l'âge de jouer au p'tit soldat et que ton bide rentrait plus dans ton treillis ? En plus faut être sacrément courageux pour se mettre à quatre… contre deux petites filles. Tiens, rien qu'en vous regardant, j'en fais pipi dans mon pantalon.

Bon, ce n'était pas ma meilleure réplique et j'étais loin du rôle du Cid que papi voulait me faire endosser, mais à voir leurs têtes, j'avais quand même réussi à détourner leur attention du cadenas.

– Dis donc, petite merde, tu sais à qui tu t'adresses ?

– Alors j'hésite entre « le roi des cons » et « l'empereur des abrutis »…

J'aurais pu continuer longtemps si je n'avais pas été obligé de me baisser brutalement pour éviter le coupe-boulon que Bernard-Gui venait de me jeter à la figure en hurlant.

– PERSONNE NE PARLE COMME ÇA À MON PÈRE…

Ma provocation avait atteint son but.

Il se rua vers moi et j'encaissai l'impact en l'entraînant au sol dans une prise dont je savais très bien qu'il ne pourrait pas se tirer. Trop content de m'avoir projeté par terre, cet abruti avait l'air d'un chat devant un bol de lait.

– Alors le minus, on fait moins le malin maintenant qu'on est au tapis, ricana-t-il dans une pathétique tentative d'humour.

Dans les films, je n'ai jamais compris pourquoi les méchants perdent leur temps à parler avant d'asséner le coup final, c'est inutile et stupide, vu qu'à chaque fois le gentil en profite pour s'échapper. En fait, le problème des méchants, c'est leur orgueil : gagner ne leur suffit pas, ils veulent aussi se la péter devant leur adversaire et ça... ben c'est pas une bonne idée. C'est pourquoi la première leçon de maître Akitori était « l'humilité » : ne jamais penser qu'on est vainqueur... avant d'être vainqueur.

Ici, nous étions dans la même situation. Comme cet idiot était beaucoup plus fort que moi, il se sentait assez sûr de lui pour discuter. Sauf que s'il avait été un peu plus calé en jiu-jitsu brésilien, il aurait su que la particularité de ce sport est justement de se jouer au sol et que me laisser « mettre au tapis » comme il le disait si bien était la plus sûre façon pour moi de lui coller une sérieuse dérouillée.

Maître Akitori n'aurait pas été content, mais je me dis que moi aussi j'avais le droit à ma blague qui tue.

– En fait t'es amoureux, tu veux me faire un petit bisou, lançai-je à Bernard-Gui en l'enlaçant entre mes jambes.

– Non, mais ça ne va pas sale pédale ! s'écria-t-il en se reculant brutalement.

Cet idiot venait à nouveau de tomber dans mon piège ; coincé entre mes jambes, il bascula brusquement en arrière et je profitai de son déséquilibre pour rouler sur le sol. Il m'avait fallu moins de deux secondes pour me retrouver sur lui en position d'étranglement. C'était un coup classique que j'avais repéré lors des combats de Minotauro contre Yokoi et Herring lors du Pride GP 2004 et que j'avais toujours rêvé de faire en vrai.

Dans un combat classique, j'aurais gagné la partie, sauf que maître Akitori avait raison, j'aurais mieux fait d'être un peu moins sûr de moi et d'assurer mes arrières.

Nous n'étions pas dans un combat standard et pas non plus dans un dojo, et BG avait un sens de l'honneur très particulier. Au lieu de s'incliner (oui, je sais, je suis naïf), il me balança une poignée de boue en plein visage et, surpris, je le lâchai aussitôt.

L'histoire aurait pu mal tourner si je n'avais pas eu le réflexe de me remettre en garde. Les quelques secondes où je lâchai son cou pour me frotter le visage lui avaient suffi à se redresser et à se remettre face à moi. Cette fois-ci, je sentis que je n'allais pas pouvoir le prendre par la ruse. Mais bon, pour en avoir déjà fait l'expérience au collège, je savais qu'il se battait comme un bourrin, tout en force, et que je n'aurais aucun mal à le mettre rapidement au tapis.

Conrad et Guillaume avaient fini par se décider à entrer à leur tour dans la bagarre ; le premier contre mon grand-père ; le deuxième contre moi.

Nous avions maintenant deux adversaires chacun et le moment était venu de passer à l'action. Je me concentrai sur BG qui me tournait autour comme un requin sans oser s'approcher. L'occasion était trop belle de rigoler un peu, d'autant que, même s'il n'y avait pas d'arbitre, je pouvais presque prétendre être en phase de *stare down*. Pour ceux qui ne connaissent pas, c'est la phase où les deux adversaires se font face, avant le début du combat, lors des recommandations de l'arbitre. C'est le moment où ils cherchent à s'impressionner et à gagner un avantage psychologique. Inutile de vous dire que ça a toujours été mon moment préféré.

– Alors chéri, après le petit bisou tu veux que je t'apprenne à danser ? Ne fais pas ta timide, approche-toi un peu plus que je puisse te serrer dans mes bras, dis-je en lui soufflant un baiser.

Connaissant le macho, j'étais certain de toucher le point sensible. Oubliant ses craintes, il se jeta à nouveau sur moi sans réfléchir par la droite tandis que son frère s'approchait par la gauche.

Un véritable cas d'école, encore plus facile qu'à l'entraînement, et je me mettais en *shooting* en attendant l'ouverture pour un *takedown*. Ce n'était même pas drôle, il balançait ses bras dans tous les sens et ne savait même pas utiliser ses pieds. À chacun de ses passages, j'en profitai pour l'énerver un peu plus en lui balançant une claque sur les fesses ou sur la figure et à voir sa tête, j'ai fini par penser que j'allais l'achever par une prise d'étouffement inédite… l'étouffement de rage !

La présence de son frère aurait pu me compliquer un peu la tâche, mais il était encore plus nul et il ne me fallut que quelques secondes pour m'en débarrasser. J'abandonnai le jiu-jitsu brésilien pendant un instant et lui fis un balayage bien placé suivi d'une manchette un peu lourde sur la nuque. Guillaume partit direct au pays des rêves et je pus me reconcentrer sur BG. J'aurais bien continué à l'achever à petit feu pour lui en faire baver un max, mais papi me rappela à l'ordre.

– Auguste, arrête un peu tes bêtises, on n'a pas toute la journée, me lança-t-il d'une voix légèrement essoufflée.

Merde !

Je pris le temps de jeter un coup d'œil vers papi pour vérifier qu'il n'était pas en trop mauvaise posture, et ce simple regard faillit me faire perdre ma concentration.

Le regard froid, il venait de se remettre en position de combat, *fudo dachi*, poings en avant et jambes fléchies. Il illustrait à la perfection l'attitude des karatékas et esquivait chaque attaque de Conrad et son père avec une souplesse qui aurait fait pâlir d'envie n'importe quel grand maître.

Autant pour l'image du Père Noël ou du vieux philosophe pacifiste !

Finalement, il y avait peut-être une raison génétique pour expliquer mes capacités dans la pratique des arts martiaux.

Néanmoins, il était clair que ce n'était plus le moment de rigoler.

– Désolé mec, mais je vais devoir t'achever, balançai-je à regret à BG.

Joignant le geste à la parole, je l'attrapai par le bras et l'envoyai au sol par un *slam* si violent qu'il le laissa K.-O.

Il était temps.

Acculé contre la porte de la chapelle, papi venait d'étaler Conrad quand, d'un coup de pied vicieux, le père Montagues réussit à le projeter au sol.

Mon grand-père avait l'air sonné, mais ça ne suffit visiblement pas à ce salaud. Prenant son élan, je vis qu'il s'apprêtait à lui balancer sa rangers en pleine tête. Un coup pareil était mortel et je réagis sans réfléchir ; je plongeai vers papi de toutes mes forces et réussis à me glisser entre le pied de Montagues et sa tête à la dernière seconde. Le choc fut si violent que je sentis mon bras se briser sous l'impact.

Je comprenais mieux le sens de l'expression voir trente-six chandelles. La douleur était si forte que je me retins *in extremis* de vomir mon déjeuner.

Voilà, cette fois-ci nous étions à sa merci. Debout au-dessus de nous, Montagues secouait doucement la tête en faisant nonchalamment craquer ses phalanges.

– Georges, Georges… je t'avais pourtant bien dit que je finirais par avoir ma vengeance un jour. Tu remarqueras que j'ai été patient ; vingt-cinq ans d'attente, c'est long, Georges, et je regrette presque de devoir t'éliminer avant que tu puisses voir la réussite de notre plan.

Je ne comprenais rien à son charabia mais mon grand-père, lui, n'avait pas l'air plus surpris que ça.

– Charles, combien de fois faudra-t-il que je te répète que nous ne sommes pour rien dans la mort de ton père, je te jure que…

– Ne jure pas ! Tu mens, vous mentez tous ! Je sais que c'est la Confrérie qui a tué mon père et je la détruirai ; à commencer par vous, les Mars, car tout est de VOTRE faute !

Le visage cramoisi, Charles Montagues trépignait en postillonnant dans tous les sens comme un enfant en pleine crise de rage. Ce type était clairement dingue et même ses fils, qui s'étaient relevés entre-temps, n'osaient pas s'approcher.

C'est alors qu'une autre voix, nettement plus calme, s'éleva dans la clairière.

– Salut Charles. Et si tu t'en prenais à quelqu'un de ton niveau au lieu d'attaquer un vieux à terre et un gamin blessé ? Je serais content de voir si tu as progressé depuis la dernière raclée que je t'ai mise.

Si on m'avait dit qu'un jour je serais content d'entendre la voix d'un prof !

L'arrivée de DeVergy et de Néné allait nous laisser une chance de reprendre le dessus.

Malgré mon bras cassé, je me relevai pour participer au combat, mais mon geste fut inutile.

La voix de DeVergy agit sur le père Montagues comme un électrochoc. Je ne sais pas ce qui s'était passé entre ces deux-là, mais le moins qu'on puisse dire, c'est qu'il ne l'aimait pas… et qu'il en avait peur. Immédiatement, le père Montagues se désintéressa de nous et se retourna vers le prof. Je m'attendais à des insultes, mais même pas. Il se contenta de lui lancer un regard chargé de haine avant de cracher au sol et de faire signe à ses fils de le suivre.

Trente secondes plus tard, nous étions seuls dans la clairière.

Ça tombait plutôt bien car j'avais beau avoir réussi à me redresser, j'aurais été bien incapable de repousser ne serait-ce que l'assaut d'un papillon, et papi n'allait pas franchement mieux.

– Ça va mon pote ? me questionna Néné en m'aidant à me rasseoir.

– Super, je suis prêt pour un p'tit triathlon là… ça se voit pas ?

– Ben, pas franchement mec, t'as plutôt l'air d'être passé sous un camion ; mais je suis content de voir que t'as gardé ton sens de l'humour. Elles sont où les filles ?

– Derrière cette porte, cherche dans les buissons là-bas, il doit y avoir un coupe-boulon, on va forcer le cadenas pour pouvoir entrer.

– Pas la peine, dit DeVergy en aidant mon grand-père à se relever, je connais le code, cette chapelle était notre lieu de rendez-vous secret quand on avait votre âge ; on y venait avec ton père, ta mère et ton oncle, mais après la mort de Virgile et votre départ à Paris, elle représentait trop de souvenirs et plus personne n'y est retourné.

DeVergy tourna les molettes du cadenas et ouvrit la porte sur l'intérieur obscur de la chapelle.

L'unique pièce qui la composait était très sombre à cause du lierre qui avait envahi les deux uniques ouvertures. L'odeur de terre et de moisi était forte et l'on ne distinguait pas grand-chose ; mais ça n'avait pas d'importance car la pièce n'était pas très grande. À peine six mètres sur quatre, sans autre meuble qu'un vieux canapé pourri, quelques étagères vermoulues couvertes de toiles d'araignées et un ancien autel de pierre.

Bref, pas l'endroit idéal pour une partie de cache-cache. Pourtant, nous avons eu beau chercher, nous n'avons trouvé ni Sara, ni Césarine.

La chapelle était désespérément vide !

journal de Césarine

Avec l'aide de Sara, j'ai compté toutes les dalles de la chapelle. Il y en a cent quatre-vingt-neuf, mais elles ne sont pas toutes pareilles.

La plupart sont toutes petites, comme les tomettes de La Commanderie, mais autour de l'autel, elles deviennent immenses.

Je ne m'en serais certainement pas rendu compte s'il y avait eu plus de lumière, à cause de la saleté sur le sol.

Mais on les a comptées avec nos mains, pas avec nos yeux, donc on a senti qu'il y en avait de plus grandes et même une qui n'avait pas la même texture que les autres.

C'est Sara qui s'en est aperçue en premier. Elle glissait ses doigts sur le sol à côté de moi quand je l'ai entendue dire « douce ».

Au début je n'ai pas compris, mais Sara a pris ma main pour la guider sur la pierre située juste derrière l'autel.

Ce n'était pas flagrant, mais en comparant avec les autres, il était clair que cette zone était beaucoup plus patinée et que sous la couche de crasse et de poussière, il y avait quelque chose gravé en surface.

C'est difficile de deviner ce que représente une gravure lorsqu'on est dans l'obscurité. Ça m'a pris un bon moment pour retracer le dessin dans ma tête ; mais avec l'aide de Sara, j'y suis arrivée.

Dès le début, j'avais compris que c'était un oiseau, mais je n'arrivais pas à comprendre ce que représentaient les immenses traits qui étaient tout autour. J'ai d'abord pensé à des feuilles, puis à des plumes, mais c'est Sara qui a trouvé que ce devait être des flammes.

Elle a dit « brûle l'oiseau » et j'ai compris que c'était un phénix ; comme celui qui est au-dessus de la cheminée de la bibliothèque.

Sur son ventre il y avait une petite croix et, en passant mes doigts dessus, j'ai senti qu'elle bougeait très légèrement, mais qu'elle était coincée par un petit caillou glissé dans une des rainures qui l'entourait.

Heureusement, Sara avait une barrette très solide et, grâce à sa petite tige en acier, j'ai pu expulser le caillou en glissant la barrette dans la rainure. Ensuite j'ai appuyé sur la petite croix de toutes mes forces, elle s'est enfoncée de quelques millimètres... et la dalle a brusquement pivoté sur son axe. Comme on était assises dessus, ça a fait comme un toboggan ; on a glissé et on s'est retrouvées éjectées quelques mètres plus bas au pied d'un escalier en pierre dans une espèce de cave minuscule complètement vide.

Sara a bien rigolé et a voulu recommencer, mais quand on est remontées, on a entendu les méchants qui revenaient et on a eu très peur. En réfléchissant, je me suis dit qu'on serait certainement plus à l'abri SOUS la chapelle que DANS la chapelle, alors avec Sara, on a poussé de toutes nos forces pour faire pivoter la dalle dans l'autre sens et on s'est assises dans le noir sur les escaliers.

Au bout d'un moment, on a entendu des pas au-dessus de nos têtes et j'ai donné une deuxième main à Sara ; je l'ai même laissée se serrer contre moi alors que normalement c'est sur ma liste ☹.

Son shampoing sentait la fraise et j'ai entendu battre son cœur. Elle tremblait très fort et gémissait comme un petit animal alors je lui ai caressé la tête.

Même que c'était bizarre car, comme elle m'avait donné une de ses barrettes, elle n'avait plus qu'une couette sur le côté gauche. Ce n'était pas symétrique. Ça m'a donné envie de crier très fort.

Mais Sara a dit « j'ai peur » alors je n'ai pas crié, mais je me suis mise à compter les secondes en tapant du pied contre les marches pour être sûre d'être en rythme.

message codé

– Chuttt ! Taisez-vous !

La chapelle était vide et personne ne comprenait où avaient pu passer les filles, mais moi, j'étais certain d'avoir entendu quelque chose.

– Écoutez ! On dirait un tic-tac de pendule.

J'étais sûr de moi et tout le monde se tut pour tenter de discerner le bruit que j'avais entendu. Néné réagit le premier et s'allongea sur les dalles, l'oreille collée au sol comme un Indien sur le sentier de la guerre.

– Moi aussi, je l'entends. Ça a l'air de venir d'en dessous !

Sans lever la tête, Néné se mit alors à progresser lentement en rampant, s'arrêtant parfois quelques secondes, modifiant légèrement son orientation avant de repartir. Nous le suivions tous des yeux dans le plus grand silence quand, arrivé derrière l'autel, il se redressa d'un coup.

– Venez voir, il y a des traces bizarres ici, comme si quelqu'un avait bougé cette pierre.

Effectivement, c'était la seule dalle qui n'avait plus de joints. Toutes les autres avaient disparu sous la terre et la poussière, mais celle-ci était entourée de quatre lignes noires bien nettes, comme si elles avaient été grattées avec un cure-dent.

DeVergy sortit un briquet de sa poche et l'approcha du sol.

Les traces de quatre petites mains, deux longues et fines et deux autres plus épaisses et courtaudes, se distinguaient nettement à la lueur de la flamme.

Dans un même élan, nous nous mîmes tous à quatre pattes pour essayer de soulever la pierre quand, tout à coup, Néné nous fit signe de nous arrêter.

– Le rythme a changé. C'est totalement irrégulier. On dirait un télégraphe.

Papi colla à son tour l'oreille sur le sol et se releva avec surprise.

– C'est étrange, on dirait du morse mais j'ai du mal à saisir le sens du message ; tu es toujours aussi calé en décryptage Marc ? dit papi en se tournant vers DeVergy.

Sans attendre une seconde, le prof s'allongea en nous faisant signe de nous taire.

Son visage était tendu par la concentration et on pouvait distinguer ses lèvres remuer, signe qu'il essayait de déchiffrer la succession de tapotements que nous distinguions tous à présent.

Au bout de quelques minutes, son expression se mua en profonde stupéfaction.

– Je crois que j'ai compris… mais ça n'a aucun sens : j'ai décodé une suite de chiffres de vingt-sept à trente-deux, et ça continue. En fait, on dirait que c'est quelqu'un qui compte !

Je croisai le regard de papi tandis qu'un grand sourire se dessinait sur son visage.

– C'est Césarine, dit-il en saisissant DeVergy par l'épaule. Essaie de la prévenir que nous sommes là et demande-lui si Sara est avec elle.

Le prof s'exécuta en faisant claquer son lourd briquet sur la pierre. La réponse ne se fit pas attendre, mais fut sacrément longue... Et DeVergy éclata de rire.

– Elle demande « comment elle peut être sûre que nous sommes bien qui nous disons que nous sommes et pas quelqu'un qui dit être nous alors que ce n'est pas nous ».

Ça, c'était du Césarine tout craché.

– Tu n'arriveras pas à la convaincre facilement, diagnostiquai-je en soupirant. Demande-lui de nous poser une question dont je suis le seul à connaître la réponse, c'est notre seule chance.

Après un échange de cliquetis avec ma sœur, DeVergy me transmit la question qu'elle avait choisi de me poser. Je ne fus pas déçu !

Elle voulait savoir quelle était ma principale caractéristique. J'aurais bien aimé répondre que c'était ma « beaugossitude », mon charme fou ou ma brillante intelligence mais, connaissant ma sœur, il n'y avait qu'une seule réponse pouvant la satisfaire. Et ce n'était pas celle que j'avais envie de dévoiler à haute voix devant un public !

Mais bon, avais-je vraiment le choix ?

– Dis-lui que je suis un idiot, soupirai-je en baissant la tête pour ne pas voir les trois sourires qui allaient inévitablement se dessiner sur les visages de mes compagnons d'infortune.

– Elle te connaît bien ta sœur, ricana Néné pendant que le prof traduisait mon message.

– Elles sont là toutes les deux, dit DeVergy dès que ma sœur eut répondu. Elle ajoute même : « Vous auriez pu vous presser un peu. »

– C'est bien beau tout ça, demanda Néné pragmatique, mais comment elles ont fait pour arriver là dessous ?

DeVergy se remit à frapper le sol avec son gros briquet métallique pour transmettre la question.

– Césarine dit qu'il faut « appuyer sur la croix du phénix et faire attention au toboggan ».

Bon, ce n'était pas très clair, mais ça nous donnait au moins une base de travail et nous nous mîmes tous à chercher.

Enfin, tous, sauf Néné.

– Au lieu de perdre votre temps, vous pouvez peut-être lui demander où il est son phénix, nous lança-t-il en nous voyant nous agiter dans tous les sens.

Oups ! Il avait raison ! Nous étions vraiment des crétins.

– Bien raisonné jeune homme, dit papi en lui ébouriffant les cheveux. C'est pourtant la première règle d'un bon chercheur : « Toujours vérifier ses informations à la source », ajouta-t-il en riant.

Quand ma sœur nous précisa la localisation de la croix du phénix, nous actionnâmes le mécanisme d'ouverture et vîmes la dalle basculer sur son axe en laissant apparaître une volée de marches.

Sara et Césarine étaient bien là. Sales comme des poux mais souriantes et en bonne santé, ce qui fut un soulagement pour tout le monde.

Pendant que les filles nous racontaient leurs aventures en nous confirmant en tout point la version de Bart, je vis que papi et DeVergy serraient les poings. Ils avaient beau garder un visage souriant pour ne pas effrayer Césarine et Sara, la tension de leurs regards en disait long sur ce qu'ils comptaient faire pour se venger des Montagues.

Quoi que ce fût, j'étais certain que ça ne leur plairait pas… et c'était tant mieux !

Quand Césarine nous montra la photocopie du fameux plan que lui avait donné Bart et nous parla d'un faux policier qui était venu voler l'original à Paris le jour de la mort de papa, je lus dans les yeux de papi que cela confirmait ce qu'il pensait depuis longtemps : papa n'avait pas eu un accident. Non seulement sa mort était préméditée, mais en plus les Montagues avaient forcément un rapport avec elle.

Papi s'agenouilla devant ma sœur et la questionna doucement.

– Dis-moi ma puce, il ressemblait à quoi ce faux policier ?

– Je n'ai pas regardé son visage.

– Alors comment peux-tu être certaine que c'était un voleur ?

– Je le sais à cause de son pantalon et de ses chaussures. Il avait des chaussures pointues très bien cirées avec des boucles accrochées dessus et un pantalon avec un pli au milieu dans un tissu épais où plein de fils de couleurs différentes s'entremêlent pour faire des carreaux comme des Écossais mais en plus fins, et dans des teintes d'automne. Les autres policiers avaient soit des pantalons d'uniforme en toile bleu très foncé avec une bande noire sur le côté et des grosses bottes lacées, soit des jeans et des baskets. Donc ce n'était pas un policier, conclut ma sœur d'un ton péremptoire.

– Tu crois que le monsieur que tu as vu tout à l'heure pourrait être ce faux policier ? demanda DeVergy.

– Non. Il était trop gros et il avait une grosse voix tandis que le faux policier avait une voix toute caressante ; le même genre de voix que Mamina quand elle veut nous faire croire quelque chose de pas vrai. Gus dit que c'est une voix avec du sirop dedans, ajouta-t-elle en me regardant.

Je voyais très bien à quoi ma sœur faisait allusion, sauf que mon expression c'était « une voix mielleuse », pas « avec du sirop dedans ».

– Et tu es certaine que c'est ce plan-là qu'il a volé sur le bureau de ton papa ? Ça ne pourrait pas en être un autre ? insista papi en lui tendant la photocopie de Bart.

– Évidemment que j'en suis sûre, s'exclama ma sœur avec une nuance de reproche dans la voix. Regarde, je l'ai même dessiné de mémoire, ajouta-t-elle en sortant un papier froissé de sa poche.

Là, il n'y avait plus aucun doute possible. Même si son dessin était moins détaillé que l'original, les deux plans étaient clairement identiques et cela sembla plonger les adultes dans la plus grande perplexité.

– Comment ont-ils pu savoir que Jean avait trouvé ce plan ? demanda DeVergy à papi. Même moi je n'étais pas au courant. Jean m'avait appelé pour me prévenir qu'il descendait à La Commanderie et qu'il avait fait une découverte incroyable, mais il ne voulait pas m'en dire plus au téléphone parce qu'il avait peur d'être surveillé.

– Il faut croire qu'il avait raison, dis-je.

– Si seulement son ordinateur et son journal de bord n'avaient pas brûlé dans l'accident, soupira papi. Je suis certain que nous aurions pu y trouver des pistes sur sa découverte.

Ma sœur se mit à se balancer en regardant par terre.

Moi qui la connaissais bien, je savais que cela signifiait qu'il y avait quelque chose qui ne tournait pas rond et quand j'entendis ce qu'elle me murmura à l'oreille d'une toute petite voix pendant que papi et DeVergy descendaient voir ce qu'il y avait au sous-sol, je compris que j'avais raison.

– L'ordinateur n'a pas brûlé. Il est dans ma chambre. Mais ne le dis pas à maman sinon elle ne va pas être contente.

Après la journée que nous venions de passer, entre mon bras cassé et la disparition des filles, j'étais certain que maman aurait tout un tas de bonnes raisons pour « ne pas être contente », mais je doutais fort que le fait que Césarine ait gardé l'ordi de papa en fasse partie…

une nouvelle alliance

Notre retour à La Commanderie ne passa pas inaperçu. Une foule de personnes assez énervées nous attendait dans la cour et se précipita sur nous dès notre sortie des bois.

Il faut dire qu'Isabelle avait cru bon d'alerter la terre entière... Nous étions attendus par rien de moins que : des ambulanciers très curieux de savoir qui avait pu mettre Bart dans un tel état ; des gendarmes encore plus curieux qui tenaient absolument à remplir un procès-verbal dûment circonstancié ; deux mamans (la mienne et celle de Sara) folles de peur et de colère, et mamie qui semblait avoir oublié tout ce que ses études de psy lui avaient appris sur la valeur du calme et du détachement.

Bref, c'était la pagaille la plus complète et tout ce beau monde nous est tombé dessus avec plus de virulence qu'une nuée de sauterelles sur un champ de blé.

Heureusement, entre les filles qui s'arrêtaient devant chaque champignon et papi qui traînait la jambe, le chemin du retour avait été suffisamment long pour nous laisser le temps de nous mettre d'accord sur une version commune de notre escapade ; il était en effet évident que de nombreux détails auraient tout à gagner à rester en famille.

Notre seule incertitude était de savoir ce que Bart avait choisi de mentionner, ou de taire, en notre absence. Mais il s'avéra rapidement que nos inquiétudes n'étaient pas fondées. Bart avait tout simplement choisi de s'évanouir, ce qui reste encore la meilleure manière de ne pas répondre aux questions gênantes...

J'aurais bien aimé dénoncer les Montagues. Les imaginer pourrir en prison était une vision qui m'enchantait ; mais grand-père et DeVergy avaient réussi à me convaincre que c'était une fausse bonne idée.

Tout d'abord parce que c'était notre parole contre la leur ; nous n'avions aucune preuve à part le témoignage de Sara et Césarine et il était hors de question de les mêler à tout ça. Ensuite, parce que raconter cette histoire à la gendarmerie nous aurait obligés à parler de l'aide que Bart nous avait apportée ; ce qui était impensable car, connaissant sa famille, cela revenait à le condamner à une autre raclée de la part de ses crétins de frères.

Enfin, et surtout, parce que nous tenions absolument à ce que l'existence de la chapelle reste secrète tant que nous ne l'aurions pas explorée à fond, et que tout raconter aux gendarmes n'était certainement pas un gage de confidentialité.

Au final, le meilleur argument qu'avancèrent papi et DeVergy, celui qui emporta la décision de ne pas dénoncer les Montagues, fut que papa était mort pour ce secret. Quand j'en pris conscience, il devint alors évident pour moi que je ne pouvais pas trahir sa mémoire. Bref, les Montagues allaient s'en sortir à bon compte, mais je me jurais qu'ils ne perdaient rien pour attendre.

De toute façon, papi l'avait bien dit : nous étions un ordre secret et travailler dans l'ombre était la seule façon pour nous de progresser en toute sécurité… et il était clair que ce n'étaient pas les Montagues qui allaient nous dénoncer !

Nous nous sommes donc contentés de raconter une vague histoire de chute dans la forêt pour expliquer nos multiples contusions et mon bras cassé, tandis que Césarine et Sara répétaient qu'elles avaient suivi un lapin et qu'elles s'étaient perdues. Je n'ai pas l'impression que les gendarmes aient vraiment gobé nos mensonges, mais il faut avouer qu'interroger Césarine et Sara les avait rendus tellement mal à l'aise qu'ils ont vite préféré laisser tomber.

Entre Sara qui était en boucle sur ses histoires de lapins, d'écureuils et d'oiseaux en feu et ma sœur qui faisait tourner les gendarmes en bourrique en étant tout simplement elle-même, cela donnait des dialogues assez surréalistes qui m'auraient bien fait marrer si je n'avais pas eu si mal au bras…

Gendarme : Alors comme ça, jeunes demoiselles, on joue les filles de l'air ?

Césarine : …Non, ma maman c'est la dame qui est debout là-bas et mon papa est mort, mais ce n'était pas de l'air.

Sara : En l'air on… a vuuu des canaards.

Gendarme : Heuuu… je voulais juste savoir pourquoi vous aviez choisi de vous évanouir comme ça dans la nature.

Césarine : On ne s'est pas évanouies sinon on serait tombées par terre, comme maman quand vous êtes venus nous dire que papa était « parti ». Sauf qu'il n'était pas « parti » parce qu'il est mort.

Sara : Et aussi… Bammmbi est paarti.

Gendarme (*un peu effrayé)* : Chef, la petite, là, elle dit que quelqu'un est décédé.

Césarine : Pas quelqu'un, mon père ! Et vous le savez bien vu que vous êtes venus nous le dire à l'appartement. Enfin, peut-être pas vous mais quelqu'un qui avait le même pantalon et les mêmes chaussures que vous.

Sara : Et il y avait un jooli laapin, mais il a eu peur.

Bref, ils en étaient là de la conversation quand la porte de l'ambulance s'est refermée sur nous.

Bart avait vraiment le teint circux et il grimaçait à chaque inspiration. Il devait avoir une côte cassée. Je ne comprenais pas que l'on puisse faire subir ce traitement à quelqu'un… alors à un membre de sa propre famille, c'était encore moins concevable !

Ces types étaient vraiment des ordures.

Pendant que je l'observais en silence, un bruit le tira de son inconscience ; le regard vide qu'il me lança me fit comprendre qu'il était complètement perdu.

– T'inquiète pas mon pote, on est dans une ambulance ; on part tous les deux en radiologie, lui dis-je en lui montrant mon bras que les urgentistes avaient immobilisé dans une attelle.

– Et les petites, vous les avez retrouvées ?

Incroyable ! Il venait de se faire tabasser par sa propre famille et il ne pensait qu'à la sécurité de ma sœur et de sa copine. Si je n'avais pas eu peur que ce soit mal interprété, je l'aurais volontiers embrassé.

– Bien sûr, le rassurai-je immédiatement, elles étaient pile là où tu nous as envoyés. Merci Bart, sans toi on aurait pu tourner des heures sans les trouver. On te doit tous une fière chandelle.

– Et elles vont bien ?

– C'est encore elles qui sont le plus en forme… parce que nous, on est tombés sur le comité d'accueil, ajoutai-je en grimaçant.

J'ai compris en prononçant cette phrase que j'aurais mieux fait de me taire. Son regard glissa sur mon attelle et son visage changea de couleur. Il avait l'air d'avoir mille ans, comme s'il en avait trop vu et que mes blessures pesaient trop lourd sur sa conscience ; en baissant les yeux, il commença à s'excuser.

– Je suis désolé, Auguste. Mon père et mes frères sont vraiment des sales cons… mais c'est ma famille, je n'y peux rien.

– Oh là ! De quoi tu me parles, Bart ! Je m'en fiche de ta famille ; pour moi t'es le mec qui est venu me dire où était ma petite sœur et le fait que, pour pouvoir le faire, tu aies dû te battre contre tes frères ne te rend que plus courageux à mes yeux. Tu n'es pas responsable de leurs agissements. Au contraire, c'est même une chance pour nous que tu sois de leur famille, sinon on n'aurait jamais retrouvé les filles, ajoutai-je en espérant que mon argument ferait mouche.

Bart ne m'a pas répondu tout de suite et j'ai vu des larmes s'accumuler au bord de ses paupières. J'ai senti ma gorge se serrer ; je n'osais pas imaginer ce qu'on pouvait ressentir à être le fils et le frère d'une ordure, mais je me doutais que sa position n'était pas facile.

Pendant un moment, on n'entendit plus dans l'habitacle que les bruits du moteur, celui de la sirène et des instruments médicaux qui s'entrechoquaient dans les tiroirs ; et puis, Bart se décida enfin à parler.

– Tu sais qui est ta famille ?

– C'est-à-dire ?

– Ton grand-père t'a parlé de la bibliothèque secrète, d'Alexandre le Grand, des croisades, des templiers et de votre mission ?

Je n'en revenais pas qu'il soit au courant alors que c'était censé être secret ; le mieux était encore de ne pas trop en dire.

– Vaguement, mais je n'ai pas tous les détails. Ce que je ne comprends pas, c'est comment TOI tu es au courant ! Je croyais que c'était un truc ultrasecret qui ne se transmettait qu'entre les descendants de la Confrérie ?

– Exactement. Et donc tu en conclus quoi ?

– Que ta famille aussi en fait partie ?

– Bingo !

– Alors ton père était aussi un Gardien ?

– Non. Mon grand-père était un Propagateur, ce qui explique sa passion pour la reproduction et la création de Godeyes Scan. Mon père aurait dû le remplacer, mais à sa mort, il a quitté la Confrérie.

Décidément, je n'y comprenais plus rien et tout ça commençait vraiment à me gonfler sérieusement.

– Ben alors, pourquoi ton père déteste autant mon grand-père et DeVergy ? Ils n'étaient pas censés travailler ensemble ?

– C'était le cas. Mais si mon père a rompu avec la Confrérie, c'est parce qu'il est persuadé qu'elle est responsable de la mort de mon grand-père et que tes grands-parents refusent de lui dire la vérité.

Il y a encore quelques jours, l'idée que mes grands-parents puissent être impliqués dans la mort de quelqu'un m'aurait fait mourir de rire, mais il fallait bien avouer qu'après la conversation que j'avais entendue dans la forêt, j'étais prêt à envisager la question.

– C'est bizarre, ils ne m'en ont jamais parlé. D'ailleurs ils ne parlent jamais de votre famille alors que vous êtes nos plus proches voisins.

– C'est normal. À l'origine, La Commanderie et notre domaine ne formaient qu'une seule propriété qui a été divisée après la Révolution. Ce qui explique que mon père était persuadé que la chapelle était sur nos terres.

– Ce que je n'arrive pas à comprendre, c'est pourquoi ton père te laissait venir jouer avec moi quand nous étions petits alors qu'il nous déteste. C'est complètement débile !

– Mon père est un tordu, répondit Bart en fixant le bout de ses rangers ; comme nous avions le même âge, je pense qu'il espérait que je devienne suffisamment ami avec toi pour pouvoir lui servir d'espion. Mais quand j'ai été assez vieux pour lui être utile, j'étais déjà trop ami avec toi pour accepter de lui obéir. C'est pour ça qu'il m'a interdit de revenir chez vous et que je suis devenu le mouton noir de ma famille.

J'étais stupéfait. Comment pouvait-on être assez salaud pour utiliser ses enfants ainsi ? Ce type était encore pire que ce que je pensais et je me sentis responsable de la vie pourrie que Bartolomé menait depuis des années par ma faute.

Allongé sur sa civière, le visage détruit par ses frères, son treillis déchiré et taché de sang, Bart ressemblait plus à un pitoyable SDF qu'à un héros de film américain et je pris conscience tout à coup que l'héroïsme pouvait avoir bien des visages.

Son courage valait beaucoup plus que celui de bien des hommes.

Malgré tout ce qu'il avait enduré, il avait choisi de rester fidèle à une amitié de gamin. Alors qu'il aurait été tellement plus simple pour lui d'obéir à son père.

– À partir d'aujourd'hui, toi et moi, on forme une nouvelle équipe. On oublie nos familles et on reprend la lutte de notre côté. On laisse les adultes se débrouiller entre eux et on leur prouve qu'on vaut mieux qu'eux, déclarai-je solennellement en lui tendant la main.

– Deux, c'est un peu juste pour former une triade, me dit Bart en avançant lentement la main. N'oublie pas les règles de l'ordre : un Gardien, un Traqueur, un Propagateur.

Je n'avais toujours pas décidé si je voulais vraiment m'impliquer dans leurs histoires, mais j'aurais été la dernière des merdes si je n'avais pas été capable d'être à la hauteur de son courage. S'il s'agissait juste de trouver une troisième personne de confiance pour former une équipe, j'avais même un nom à proposer.

– Néné complétera la triade, lançai-je rapidement pendant que l'ambulance se garait dans la cour de l'hôpital.

Bart sembla surpris de mon choix.

– Écoute Bart, je sais qu'il a la réputation d'être un bouffon, mais je t'assure que c'est faux. C'est un mec génial qui touche grave sa bille en informatique. En plus, tu ne penses pas qu'à notre époque le Propagateur se doit d'être calé dans les nouveaux moyens de communication ? argumentai-je auprès de mon ami.

– Si Néné est le Propagateur, nous deux on est censé être quoi ? me demanda Bart.

C'était une sacrément bonne question ; au final, on n'avait rien à garder et on ne savait pas trop ce qu'on devait traquer… J'ai donc choisi d'improviser.

– Les règles, c'est fait pour être changé ; disons qu'on sera polyvalent, c'est plus adapté à notre époque !

Bart pris deux secondes de réflexion et pendant un instant je crus que c'était mort, mais au moment où les infirmiers déverrouillaient la porte, il me topa dans la main.

Un accord venait d'être conclu, nous étions les nouveaux trois mousquetaires !

retour à la réalité

Dans la vie, il y a des moments où on se berce d'illusions et il faut avouer que je suis coutumier du genre. Ce n'est pas que je sois dans le déni, mais je ne peux pas m'empêcher de visualiser ma vie avant qu'elle ne se déroule et, forcément, je suis toujours déçu par la réalité.

Comme le jour où je suis tombé amoureux de ma maîtresse de CE2 et que j'ai cru la faire craquer en lui faisant une déclaration d'amour dans ma rédaction. Toute la nuit, je l'avais imaginée embrassant ma feuille et y dessinant de gros cœurs avec son rouge à lèvres. J'étais tellement persuadé que nous vivrions une histoire romanesque et secrète que j'étais arrivé en classe gonflé d'espoir avec mon plus beau tee-shirt (le rouge avec Dragon Ball Z), certain que la maîtresse allait me tomber dans les bras. Bref, je m'étais fait un film, mais la vérité m'avait cruellement sauté au visage quand madame Trudon m'avait tendu ma copie. Certes, il y avait bien du rouge sur ma rédaction, mais ce n'était pas celui de son rouge à lèvres, c'était celui du stylo Bic qu'elle avait utilisé pour souligner les fautes et me mettre un zéro pour « hors sujet ». Le pire, c'est que cette horrible sorcière avait lu ma déclaration à toute la classe. J'avais fini avec le cœur brisé et les joues de la même couleur que mon tee-shirt. Un grand moment de solitude.

Normalement, ce type d'épisode a de quoi faire comprendre à toute personne saine d'esprit qu'il n'est pas bon de fantasmer sa vie, surtout quand il s'agit d'amour, mais il faut croire que je ne suis pas « comme tout le monde » (ou pas très sain d'esprit) parce que je continue, régulièrement, à me faire des films.

Là par exemple, avec le sauvetage auquel j'avais participé la veille, je m'imaginais que j'allais faire un retour triomphal au collège auréolé de mon nouveau statut de héros. Toute la nuit, la douleur de mon bras cassé et les analgésiques aidant, j'avais visualisé la scène : mon arrivée nonchalante avec mon bras plâtré porté en écharpe comme l'étendard de mon courage, les tapes dans le dos des élèves épatés, la haie d'honneur dans la cour et même, cerise sur le gâteau, Le Négrier reconnaissant enfin s'être trompé à mon sujet et me suppliant de reprendre l'iPod qu'il m'avait confisqué.

Évidemment, mes retrouvailles avec Isabelle étaient le meilleur passage de mon rêve. Normal, j'étais le sauveur de sa sœur, celui qui avait risqué sa vie héroïquement pour retrouver les deux petites filles disparues, j'étais LE héros. Dans mon rêve, j'imaginais ses yeux humides et son regard reconnaissant tandis qu'elle se précipitait vers moi pour me couvrir de baisers sous les yeux rageurs de BG. Dans mon rêve, j'étais plus grand qu'elle, ce qui me permettait de l'entourer de mon bras valide et la basculer en arrière avant de l'embrasser langoureusement sous les applaudissements de la foule en délire. Dans mon rêve, la scène, tout en ralentis et en fondus enchaînés, était digne de *High School Musical 3* ou de *Sexy Danse 4* (attention, n'allez pas imaginer que je regarde ces films, c'est juste que je me tiens un peu au courant pour avoir des sujets de conversation avec les filles).

Forcément, après un rêve pareil, je suis arrivé au collège gonflé à bloc et prêt à recevoir tous les honneurs avec classe et humilité.

Devinez ?

Non seulement je n'ai pas été accueilli en héros, mais en plus tous les élèves ricanaient sur mon passage. Bon, ne pas être accueilli en héros, j'avoue que je m'en doutais un peu, mais les ricanements, ça, j'avais du mal à comprendre. Mais je pouvais compter sur mon pire ennemi pour me l'expliquer avec clarté !

– Alors le minus, on ne sait pas se promener en forêt sans tomber dans les trous. T'as deux pieds gauches ou quoi ?

Campé devant moi avec un sourire suffisant sur le visage, Bernard-Gui fanfaronnait en prenant les élèves à témoin et, vu leur tête, il n'avait pas attendu mon arrivée pour commencer son discours.

– C'est tout le problème des Parigots, dès qu'y a plus d'asphalte ils ne savent plus marcher. Tu sais qu'ici à la campagne, c'est des vraies forêts qu'on a, pas des parcs de lopettes avec des allées toutes tracées pour les handicapés dans ton genre, continua-t-il en déclenchant les rires de l'assemblée.

Je soupirais, il était inutile que je tente de répliquer. Ce gros lard jouait sur du velours, il savait bien que je ne pouvais pas le contredire vu que c'est ce que nous avions dit à la police, même que j'aurais bien aimé savoir comment il connaissait le contenu de notre déposition. J'étais coincé et me résignais à le laisser se défouler et à continuer à massacrer les accords grammaticaux quand un sauveur inattendu se dressa à mes côtés. Enfin, plutôt une sauveteuse.

– Ça suffit BG ! Laisse-le tranquille, lança Isabelle d'une voix tranchante.

BG, qui ne l'avait pas vue s'approcher, sembla tout à coup se ratatiner.

– Mais, Belle, c'est pas méchant, on discute juste, tenta-t-il de se justifier d'une petite voix plaintive.

– Eh bien, va discuter ailleurs. Je te rappelle que Gus s'est cassé le bras en voulant m'aider à retrouver Sara tandis que tu n'as pas levé le petit doigt.

Et, vlan ! Prends ça dans les dents !

– Mais… Belle, je ne savais pas que Sara s'était perdue, sinon tu penses bien que je serais venu, tu sais bien qu'elle est comme ma sœur et que…

– Et que quoi ? Tu es le premier que j'aie appelé quand elle a disparu et tu n'as pas décroché, tu n'as même pas répondu à mes messages. C'est facile de parler, mais tu étais où, BG, quand j'avais besoin de toi ?

Là je jubilais, j'étais bien placé pour savoir que BG ne pouvait pas répondre à cette question vu qu'au moment où Isabelle l'avait appelé, il était précisément en train d'enfermer Sara dans la chapelle. C'était son tour d'être coincé et je décidais d'en profiter.

– Laisse, Isabelle, je pense que BG est agressif parce qu'il s'en veut de ne pas avoir été là pour toi et de ne pas avoir su retrouver ta sœur. C'est dur pour lui, il doit se sentir franchement merdeux. Ne l'enfonce pas plus, le principal c'est que Sara et Césarine s'en soient tirées, ajoutai-je en grimaçant légèrement et en posant la main sur mon plâtre.

C'est clair que j'en rajoutais un peu, mais l'effet fut immédiat et Isabelle se précipita sur moi pour me soutenir.

– Tu vas bien Gus ?

– Oui, oui, c'est juste que je souffre un peu, je pense qu'il faudrait juste que je m'assoie cinq minutes. Ça t'ennuie de m'accompagner dans la classe ?

– Tu plaisantes, bien sûr que non. Tiens, BG, rends-toi utile et porte-lui son sac s'il te plaît, balança Isabelle à mon ennemi vert de rage avant de glisser son bras sous le mien et de m'entraîner vers le bâtiment.

Serré contre Isabelle, j'adressais discrètement un grand sourire à BG planté comme un con au milieu de la cour avec mon sac entre les bras. Heureusement que les regards ne peuvent pas tuer, sinon j'aurais été fusillé sur place.

La foule des élèves qui se moquaient de moi deux minutes plus tôt s'écarta pour nous laisser passer et je savourais l'instant avec bonheur. Au final, même si mon arrivée ne s'était pas tout à fait déroulée comme je l'avais souhaité, je finissais tout de même en beauté avec ma princesse pendue à mon bras et mon ennemi humilié réduit à porter mon sac. Même si je me doutais que BG ne laisserait certainement pas passer l'affront, j'avoue que je ne boudais pas mon plaisir.

Voilà, ça c'était une entrée digne de moi !

Dans la classe, nous avons été accueillis par Néné qui se bidonnait comme une baleine. Il nous avait gardé deux places à côté de lui sur un des grands poufs de la salle de DeVergy. Vu l'état de mon bras, ce n'était pas l'idéal, mais l'inconfort de ma position était largement compensé par la proximité d'Isabelle. Sans le vouloir (ou pas ?), elle avait collé sa cuisse contre la mienne et la chaleur de ce contact me donna l'impression de me transformer en chamallow.

– Ça va mec, t'es tout rouge, me sortit Néné sans réfléchir.

– Ouais, c'est la chaleur, laisse tomber.

– Non mais parce que là t'as vraiment pas l'air bien. Tu veux que je t'emmène à l'infirmerie ?

– C'est bon je te dis, laisse tomber, grognai-je en me disant que, vraiment, Néné était peut-être un mec super, mais que c'était aussi le roi des lourds.

– C'est vrai Gus, Néné a raison, tu n'as pas l'air en forme. Attends, j'ai de l'eau, je vais te rafraîchir un peu, me dit Isabelle en sortant une bouteille de son sac.

Elle se pencha alors vers moi et se mit à me tamponner délicatement le visage avec un mouchoir humide. J'étais aux anges, je flottais loin, très loin dans la stratosphère en regrettant juste que BG ne soit pas là pour voir la scène. Je me laissai caresser par sa main délicate et apaiser par la fraîcheur de son mouchoir parfumé ; je me souviens de m'être dit que si le paradis existait vraiment, il devait sûrement ressembler à ça... Sauf qu'à ce moment-là, j'ai bêtement ouvert les yeux pour la remercier et que j'ai plongé mon regard directement dans son décolleté.

– Oh la vache mec ! T'es encore plus rouge qu'avant, sans déconner faut que tu ailles voir un médecin ! s'exclama Néné affolé.

– Gus tu es certain que tu vas bien, ton cœur bat à cent à l'heure, dit Isabelle en glissant sa main sur ma poitrine.

Là, c'était trop et j'allais vraiment finir par succomber à une crise cardiaque quand je fus sauvé par le prof. Debout devant notre pouf, il avait l'œil qui pétillait et le sourire du mec qui va dire une connerie. Il avait deviné mon problème et je le suppliais du regard de ne pas en rajouter.

– Monsieur Clément, aidez votre ami à se relever et à aller s'asseoir derrière un bureau plus classique. Le pouf n'est pas une assise adaptée à son problème de… bras, finit-il dans un souffle en me faisant un clin d'œil.

Ouf ! Je quittai sagement la torride proximité d'Isabelle en me promettant de ne plus me laisser surprendre ainsi.

En même temps, franchement, y a pas idée d'être aussi sexy tout de même !

spéculations

Après mon retour de l'hôpital, maman a eu une dispute phénoménale avec papi et DeVergy, qui ont dû jurer de ne plus nous mêler à leurs affaires. Je pense qu'elle a flippé quand elle s'est rendu compte que Césarine ne pourrait pas être tenue hors de leur combat. De toute manière, maman pouvait bien dire ce qu'elle voulait, maintenant que j'étais impliqué et que j'avais monté mon propre groupe avec Néné et Bart, il était hors de question que je reste sur la touche.

Pour moi, sa décision était incompréhensible. Un jour il fallait que je m'implique, et le lendemain je devais rester en dehors de leurs plans. Comme dit ma sœur, c'était n'importe quoi, et du coup je ne leur ai pas dit que Césarine avait l'ordi de papa. S'ils ne voulaient plus partager, il n'y avait pas de raison que je leur file des infos de mon côté.

J'en ai parlé avec Néné qui était tout à fait de mon avis. Si les adultes n'avaient pas de couilles, c'était leur problème, nous, les nouveaux Mousquetaires, nous n'allions pas nous laisser faire sans réagir.

Malgré l'interdiction de ma mère, nous sommes donc retournés dans la chapelle… mais ça ne nous a pas avancés à grand-chose. Passé la dalle pivotante, il y avait juste six marches qui aboutissaient à une pièce tellement petite qu'on n'y tenait même pas debout. C'était un genre de cave au sol de terre battue et aux murs de pierres grossièrement taillées ; il n'y avait pas un meuble, pas une seule gravure de phénix indiquant un passage secret, et on a eu beau la fouiller de fond en comble, on n'y a rien trouvé d'intéressant.

Au collège, la situation n'est pas allée en s'arrangeant ; à part Néné et Isabelle, plus personne ne m'adressait la parole et même les profs me regardaient comme si j'étais un dangereux délinquant.

L'avantage de cette réputation, c'était que Néné et moi avions une table pour nous au self et que personne ne me bousculait dans les couloirs ; mais il faut avouer que cette situation de pestiféré du collège commençait à peser sérieusement sur mon moral.

Pour me changer les idées, je passais beaucoup de temps à parler avec Néné de notre nouveau plan d'alliance avec Bart.

Je lui avais tout expliqué. Enfin, tout du moins ce que j'avais réussi à apprendre avant que maman change d'avis.

Au début, Néné avait eu un peu de mal à me suivre, surtout sur le côté historique, et j'avais été obligé de simplifier sérieusement ; en résumé, j'avais fini par lui dire que nous avions la garde de documents ultra secrets et « vachement » vieux que voulaient nous voler une bande de « super méchants » qui étaient prêts à tuer pour arriver à leurs fins. Ça lui suffisait. De toute manière, il se fichait totalement de l'histoire, lui, ce qui lui plaisait, c'était d'appartenir à une équipe et je savais de mon côté que je pouvais lui faire confiance.

Au final, notre seul problème, c'est qu'on n'en savait pas assez pour pouvoir élaborer la moindre stratégie. Pourtant, je voyais bien qu'il se tramait quelque chose derrière mon dos. Papi et DeVergy passaient des heures à discuter à voix basse et disparaissaient parfois pendant plusieurs jours sans dire où ils allaient tandis que mamie et maman préparaient visiblement notre départ ; dans chaque chambre, nous avions maintenant un sac tout prêt comme si nous risquions de devoir nous enfuir en urgence… sauf qu'il était impossible de savoir où elles comptaient nous envoyer !

J'avais beau les harceler pour essayer d'en savoir plus sur leurs plans, rien à faire, c'était la loi du silence, pire que l'omerta corse. Après ma petite discussion avec Bart dans l'ambulance, j'avais essayé d'avoir des éclaircissements sur nos rapports avec sa famille, mais personne n'avait accepté d'en parler ni même de m'expliquer pourquoi Charles Montagues avait dit que la Confrérie était responsable de la mort de son père. À leur air gêné et à leurs regards fuyants, j'avais bien vu que la question les dérangeait, et la remarque sibylline de mamie comme quoi « il ne fallait pas que je pose des questions dont je n'étais pas prêt à entendre les réponses » ne m'avait pas rassuré.

Notre seul espoir d'en apprendre un peu plus reposait donc sur Bartolomé, mais au bout de quinze jours, il n'était toujours pas reparu à l'école et je n'osais pas appeler sur son portable de peur qu'il se fasse repérer par ses frères. Si Isabelle ne nous avait pas donné régulièrement de ses nouvelles, j'aurais même fini par être inquiet.

Comme nous étions visiblement hors jeu pour la Confrérie, j'ai décidé de me concentrer sur mon autre bataille : la conquête d'Isabelle. C'était peut-être un peu puéril, mais en même temps tout ce qui faisait chier BG pouvait certainement être considéré comme une revanche. Non ?

Mon gros problème était que, pour préserver le secret de la chapelle, nous avions été obligés de mentir à Isabelle. Elle avait donc eu droit à la même version que les gendarmes, à savoir que les petites s'étaient perdues et que nous nous étions blessés en les cherchant. Ce qui me faisait vraiment mal, c'est que comme nous lui avions caché la vérité à propos des Montagues, elle continuait à fréquenter cet abruti de Bernard-Gui tout en passant de plus en plus de temps avec moi.

C'était une torture absolue. Être si près d'Isabelle, sentir son parfum, entendre son rire… et la voir ensuite prendre la main de ce gros porc sadique ! Mais j'attendais mon heure et je ne ratais pas une occasion de le faire passer pour l'abruti qu'il était… et il faut avouer que la tâche était d'une facilité déconcertante.

Un soir où j'attendais ma mère après les cours avec Néné et Isabelle, nous l'avons vu débouler sur le parking de l'école au volant d'un véhicule d'un ridicule absolu.

J'ai beau être un mec, je ne suis pas trop fan de voitures.

À Paris, comme tous mes potes, j'étais bien sûr allé voir tous les épisodes de *Fast and Furious* ; mais c'était plus pour être avec ma bande de copains et pour le pop-corn que pour ces histoires affligeantes de courses de voitures aux scénarios misérables. J'avais vite capté que le seul but de ces films était de montrer des filles vêtues de maillots trop petits et des mecs bodybuildés au volant de voitures aux moteurs aussi gonflés que les prothèses mammaires de leurs copines.

Mais bon, comme je l'ai déjà dit, tenter d'être populaire au collège impose des sacrifices, alors je faisais semblant d'aimer ces navets puis j'allais voir en cachette mes films préférés dans les salles minuscules des cinémas d'art et d'essai du Quartier Latin.

Tout ça pour dire que le Hummer qui débarqua en rugissant devant nous représentait à mes yeux tout ce qu'un constructeur automobile peut faire de pire.

Ce n'était même plus une voiture, mais un cliché roulant. Non seulement le 4x4 était si haut, et ses roues si grandes, que les marchepieds étaient presque à cinquante centimètres du sol, mais tout le reste du véhicule semblait avoir été pensé pour repousser les limites de la vulgarité.

La carrosserie, d'un noir mat digne d'un dealer albanais, était rehaussée d'une quantité de chromes si importante qu'il fallait des lunettes de soleil pour la regarder en face, tandis que son pare-buffle était tellement énorme qu'il aurait plutôt mérité le nom de « pare-éléphant ».

Évidemment, les vitres étaient entièrement teintées, ce qui, à la limite, était la seule chose intelligente. Je comprenais aisément qu'on ne souhaite pas être vu au volant d'un engin pareil !

En voyant s'approcher ce monstre, notre première réaction a été d'éclater de rire. Mais quand cette horreur sur roues s'arrêta à notre hauteur et que sa vitre descendit suffisamment pour nous permettre d'en découvrir le conducteur, je trouvai ça nettement moins drôle.

La présence d'Isabelle m'empêchait de dire à Bernard-Gui tout le mal que je pensais de lui, mais je n'allais tout de même pas laisser passer une si belle occasion de me moquer de cet abruti.

– Sacrée voiture BG, mais explique-moi un truc. Comment ça se fait que tu puisses conduire seul alors que tu es en seconde ? Il ne faut pas avoir dix-huit ans pour passer son permis ? lançai-je en prenant mon air le plus innocent. Ah, mais non, excuse-moi, ajoutai-je en me frappant le front, c'est vrai que tu as déjà redoublé trois fois !

À son expression, je compris que j'avais fait mouche, mais comme il ne trouvait rien à me répondre, il choisit de m'ignorer et s'adressa directement à Isabelle.

– Tu viens essayer ma nouvelle caisse, Belle ? Papa vient de me l'offrir et j'ai déjà prévenu ta mère que c'est moi qui te ramenais. Ça t'évitera de traîner dehors avec des minables, ajouta-t-il à mon intention.

Isabelle n'avait pas vraiment le choix, mais ses sourcils froncés indiquaient clairement que cette dernière remarque ne lui avait pas plu ; c'est ce qui me décida à enfoncer le clou. Avant qu'elle ne contourne la voiture pour s'installer, je la retins par le bras.

– Attends deux secondes, BG, j'allais justement raconter une blague à Isabelle, lançai-je vers la voiture. Alors, c'est l'histoire d'un petit lapin qui tombe un jour malencontreusement dans un grand trou et qui n'arrive pas à en sortir…

– Mort de rire, m'interrompit Bernard-Gui. T'as pas passé l'âge des histoires de petits lapins, le débile ?

– BG, laisse-le parler s'il te plaît, Sara adore les histoires de lapin, et je serai ravie de pouvoir la lui raconter en rentrant, rétorqua Isabelle en me faisant signe de continuer.

– Bref, repris-je en adressant un grand sourire à Isabelle (et un discret doigt d'honneur à Bernard-Gui), ce petit lapin hurle pour demander de l'aide et est finalement entendu par un gentil renard qui passait par là. L'animal, comprenant le problème, laisse alors pendre sa longue queue rousse dans le trou et sort le lapin du piège où il était tombé.

– Tu parles, c'est crétin ton histoire. Le renard l'a bouffé, c'est sûr, commenta Bernard-Gui avant de s'arrêter devant le regard furieux d'Isabelle.

– Donc, avant d'être grossièrement interrompu, je disais que le petit lapin promet au renard d'être toujours là pour lui, et ce qui devait arriver arriva… Un beau jour, le renard tombe lui aussi dans un trou trop profond pour qu'il puisse en sortir et appelle le petit lapin à l'aide. Immédiatement sur les lieux, l'animal tente lui aussi d'utiliser sa queue pour sauver le renard, mais se rend compte qu'elle est beaucoup trop petite. Le lapin part alors chercher une corde et l'attache au pare-chocs arrière de sa grosse voiture, ce qui lui permet de sauver le renard.

– C'est complètement con comme histoire ! En plus ce n'est même pas drôle. Allez Belle, monte, on se casse.

Imperturbable, j'aidai galamment Isabelle à gravir le marchepied et à s'installer sur son siège, avant d'ajouter bien fort :

– En fait ce n'est pas l'histoire en elle-même qui est drôle, mais sa morale…

– Ah ouais, et c'est quoi ? demanda Bernard-Gui en enclenchant la première.

– Eh bien… Quand on a une petite queue, faut avoir une grosse voiture.

Bon, j'avoue, mon histoire n'était pas très bonne, pas vraiment classe, et je doutais fortement qu'Isabelle puisse la raconter à sa petite sœur, mais en voyant la tête de cet idiot devenir brutalement toute rouge et en entendant l'éclat de rire d'Isabelle, je ne regrettai pas de l'avoir racontée.

La voiture partit en trombe dans un hurlement de pneus et Néné et moi rigolions encore quand maman arriva enfin pour nous récupérer.

journal de Césarine

Personne ne m'a réclamé l'ordinateur de papa alors avant qu'on me le reprenne, j'ai ouvert tous les dossiers que je pouvais.

Ça m'a demandé beaucoup de temps, mais aussi beaucoup de concentration.

Heureusement, comme maman avait peur que j'aie été « traumatisée » par ce qui s'était passé dans la forêt, j'ai pu rester à la maison.

Rester à la maison, c'était bien, même si j'étais un peu « triste » pour Sara qui était toute seule à l'institut ; c'est bizarre parce que normalement, je ne suis pas censée être « triste » car c'est un sentiment.

D'ailleurs, je ne sais même pas si je suis vraiment « triste ». Je me sens comme un puzzle auquel il manque une pièce ; c'est une « comparaison », ce que je veux dire c'est que quand il manque une pièce dans un puzzle, on ne peut pas voir l'image en entier, il en « manque » un bout ; du coup, même si on peut « imaginer » le résultat en reconstituant le morceau manquant dans sa tête, ce n'est pas pareil. L'image est gâchée et on a beau faire, la seule chose qu'on voit, c'est le petit trou vide. C'est une absence, comme un sentiment d'inachevé.

Voilà, c'est ça, je crois que Sara me « manque ».

Je suis un puzzle avec un trou.

Un trou qui s'appelle Sara.

Dans l'ordinateur de papa, j'ai trouvé un dossier rempli de plans, des dizaines et des dizaines de plans. Certains avaient l'air très, très vieux parce qu'ils étaient dessinés à la main et tout jaunis ; d'autres étaient récents, tracés à l'aide d'un ordinateur.

Il y avait des plans de La Commanderie à toutes les époques ; papa les avait classés par date, du plus ancien au plus récent.

Ça m'a fait penser à un jeu que nous avait fait faire un éducateur, celui où il faut dessiner un bonhomme sur le coin d'un carnet, puis le même bonhomme sur toutes les pages en modifiant juste la position de ses bras et de ses jambes. Quand tu as fini de dessiner, tu fais tourner très vite les pages du carnet et tu as l'impression que ton bonhomme court.

Là c'était pareil. En faisant défiler les plans très vite sur l'ordinateur, j'ai vu La Commanderie changer. Parfois elle s'agrandissait, parfois elle perdait certaines parties. Mais ce qui est sûr, c'est que trois des bâtiments n'ont jamais été modifiés.

Les autres cartes étaient plus compliquées à comprendre parce qu'elles représentaient la campagne autour de La Commanderie.

Là aussi, il y en avait de plein d'époques différentes, et ils n'étaient pas du tout à la même « échelle » (ça n'a rien à voir avec l'échelle qui sert à grimper dans le grenier ; ça veut dire « à la même dimension »).

Ça m'a donné mal à la tête.

Je n'y comprenais rien car je ne savais pas à quoi correspondaient les lignes, si c'étaient des rues, des rivières, des murs ou juste des limites de terrain... En fait, il y avait trop de lignes et moi, je n'aime pas trop les lignes parce que ça me fait penser au jour où maman m'avait emmenée dans le métro.

Maman avait dit qu'elle était pressée et qu'on n'avait « pas le choix » (ce qui est idiot parce qu'on a TOUJOURS *le choix, c'est juste qu'on n'est pas toujours prêt à en accepter les* CONSÉQUENCES*), alors je suis entrée dans le métro.*

J'ai tout de suite vu qu'il y avait trop de monde, en plus ça sentait mauvais, il y avait du bruit et on ne voyait plus le ciel. Maman m'a dit qu'il n'y avait que deux stations et qu'il fallait que je me concentre sur quelque chose. Alors je me suis concentrée sur le plan du métro qui était affiché dans le wagon. C'était plein de lignes de toutes les couleurs qui s'entrecroisaient.

Ça m'a fait penser à des grosses veines ou à des intestins : la ligne rouge pour le sang gorgé d'oxygène, la bleue pour le sang plein de dioxyde de carbone, la jaune pour l'urine et la verte pour les sucs digestifs.

Ça m'a écœurée, alors quand le wagon a démarré en grondant et s'est enfoncé sous terre, j'ai vomi partout en hurlant.

Depuis, je n'aime pas trop les lignes de couleur qui s'entrecroisent, c'est pour ça que je ne porte jamais d'écossais.

C'est de penser au métro qui m'a donné l'idée de retracer toutes les lignes en couleur, alors j'ai recopié les cartes en ne reprenant que les lignes qui revenaient plusieurs fois.

Ça m'a pris beaucoup de temps, mais à la fin, après avoir tapissé ma chambre avec mes dessins, j'ai bien vu qu'il restait une toute petite ligne abandonnée sur la plus ancienne des cartes, une petite ligne à peine visible qui reliait la chapelle à La Commanderie.

Et comme cette ligne n'était ni une route, ni un mur de clôture, ni une rivière… j'en ai déduit que c'était probablement un souterrain.

Donc :

1 : Je ressens peut-être un « sentiment ».
2 : Je dois trouver l'entrée du souterrain.

être un dieu de la drague... ou pas

Depuis l'aide que Néné nous avait apportée pour retrouver les filles, il faisait pour ainsi dire partie de la famille, et comme ça n'avait pas l'air de déranger ses parents, il vivait quasiment à la maison.

J'avais essayé d'en profiter pour améliorer son look, mais j'avais fini par abandonner.

Néné avait tellement de principes qu'il était impossible de lui trouver un vêtement digne de ce nom qui lui convienne : soit les tissus n'étaient pas en fibres naturelles, soit le coton n'était pas bio, soit le fabricant n'était pas « écoresponsable », soit il venait d'une région du monde connue pour exploiter des enfants, soit la multinationale avait refusé de signer « la charte de bonne conduite des fabricants dans les pays à bas coûts »... Bref, Néné n'était pas un consommateur mais se définissait lui-même comme un « consom-acteur » et envisageait chaque achat comme un acte révolutionnaire devant aller dans le sens d'une évolution positive de l'humanité !

Attention, n'allez pas croire que je critique, j'étais même assez épaté par son engagement citoyen, mais j'avoue qu'à la longue, ça pouvait tourner au cauchemar.

Heureusement, Néné était suffisamment tolérant pour comprendre que ce qui était bon pour lui ne l'était pas forcément pour les autres et il n'essaya (presque) pas de me convertir. Et c'est tant mieux parce que l'idée de me balader en sandales de cuir cousues main et chemise informe en fibre de bambou ne me convenait pas franchement !

À La Commanderie, Néné était devenu l'idole de maman pour avoir sauvé Césarine ; mais c'était aussi le cobaye préféré de mamie (qui voyait en lui un sujet d'étude suffisamment farfelu pour tester ses théories de psy) et le compère favori de papi (grâce à ses connaissances apparemment sans fond sur la végétation et l'histoire locale).

Même Césarine l'aimait bien, c'est dire...

J'aurais pu en prendre ombrage et être un peu jaloux d'une telle popularité, mais Néné était toujours de bonne humeur, d'un naturel déconcertant et tellement gentil qu'il décourageait toute jalousie à son encontre.

L'autre point positif, c'est qu'Isabelle venait presque tous les jours passer quelques heures à La Commanderie pour que Sara puisse voir Césarine. Inutile de dire que BG faisait une sacrée gueule à chaque fois qu'il était obligé de la déposer chez moi et je soupçonnais même Isabelle d'en rajouter un peu juste pour l'agacer. Forcément, je ne pouvais pas la laisser s'ennuyer toute seule pendant que les petites s'amusaient et je me faisais un devoir de rester avec elle. À Paris, j'avais une technique de drague bien rodée, savant mélange de répliques à la Kev Adams et de la parade amoureuse des paons.

En gros, quand une fille me plaisait, je me la ramenais à mort en faisant le beau, je mettais mes fringues qui claquaient le plus, mon gel de concours, je prenais l'air du mec cool à qui on ne la raconte pas et je paradais autour d'elle tout en faisant mine de l'ignorer.

Ouais, je sais, dit de cette manière ça paraît débile et il faut bien avouer qu'à part dans mes rêves, ce n'était pas très efficace. Mais au moins, même mauvais, j'avais un plan d'attaque, une stratégie, et j'étais convaincu que ma technique finirait par payer. Malgré les râteaux (mes potes me surnommaient Jardiland), je restais confiant ; alors que là, avec Isabelle, je me sentais aussi démuni que le poussin qui vient de naître ou qu'un parachutiste s'apercevant qu'il vient de sauter avec son sac à dos au lieu de son parachute.

Ce qui est bizarre, c'est que même si j'ai toujours eu vaguement conscience de ne pas être un dieu de la drague, je ne m'étais encore jamais dégonflé ; pourtant, avec cette fille, j'étais un empoté de première. Toutes mes répliques cultes me restaient au fond de la gorge et je me rendais compte à quel point ces phrases toutes faites étaient nulles. Comment aurais-je pu lui dire qu'elle était « trop sexy » alors qu'elle était cent fois, mille fois plus que ça. Comment aurais-je pu lui dire qu'elle était « trop classe » ou qu'elle avait de beaux yeux alors qu'elle était plus que divine. Pour la première fois de ma vie, j'avais des soucis de vocabulaire.

Du coup, plutôt que de passer pour un idiot, j'avais opté pour la seule méthode qui, aux dires de papi, avait fait ses preuves avec les filles depuis la nuit des temps : la laisser parler et être d'accord avec elle. L'avantage avec Isabelle, c'est qu'elle pouvait parler toute seule pendant des heures. C'était simple, je lui disais bonjour… et elle disait tout le reste pendant que je la dévorais des yeux.

Du coup, nos rendez-vous ressemblaient un peu à ces trucs d'amour courtois que nous avions étudié en cinquième, sauf qu'Isabelle tenait le rôle de Tristan et moi celui d'Iseult. Dès son arrivée, je l'entraînais dans le parc pour échapper aux blagues vaseuses de Néné et aux regards ironiques des adultes, et nous bavardions en arpentant les allées. Enfin, Isabelle parlait tandis que j'opinais en émettant de vagues borborygmes de temps à autre pour lui prouver que j'étais toujours en vie. Pour être tout à fait honnête, je n'écoutais pas tout ce qu'elle me racontait, j'étais bien trop occupé à me positionner de manière stratégique pour pouvoir frôler son bras ou effleurer sa main. Quand, par miracle, j'y arrivais, je sentais tous mes poils se dresser d'un coup et un grand frisson me traversait de part en part. J'aurais bien aimé que nous soyons attaqués par des loups, par une araignée géante ou des extraterrestres, n'importe quoi pourvu que je puisse la sauver et la serrer dans mes bras. Mais le truc le plus dangereux que nous ayons croisé étant une gerboise effrayée, je n'ai jamais réussi à passer à l'acte.

À défaut d'être son « petit » ami, au bout d'une semaine je connaissais tout de sa vie et j'étais devenu son « meilleur » ami. Je n'avais pas encore atteint mon but, mais j'étais persuadé d'être en bonne voie, même si j'avais du mal à comprendre ce qu'elle voulait vraiment.

Sans l'ombre du mystère et des menaces de mort qui planaient au-dessus de ma tête, mon existence aurait presque pu être agréable, mais l'inaction commençait à me peser. Il était temps d'agir et encore une fois, ce fut ma sœur qui nous sortit de l'impasse où nous étions coincés.

Un dimanche matin, Néné et moi étions dans ma chambre, occupés pour la millième fois à essayer d'imaginer à quoi pouvait bien servir la minuscule pièce vide que Césarine et Sara avaient découverte sous la chapelle. Nous nous perdions en conjectures, mais je refusais de lâcher le morceau. Je savais que papi et DeVergy n'arrêtaient pas d'y aller, mais ils nous répétaient qu'il n'y avait rien d'autre qu'une pièce vide, ce qui nous semblait totalement incompréhensible !

– C'est quand même incroyable que cette cachette ait été creusée pour rien, me dit Néné pour la millionième fois. Tout de même, vu la complexité du mécanisme, ce n'était pas à la portée de tout le monde. Tu te rends compte du temps, de l'ingéniosité et de l'argent qu'il a dû falloir pour confectionner cette dalle pivotante.

– C'est clair, d'autant que d'après maman, la chapelle daterait de la fin du XIIIe. En plus, il semblerait qu'aucun mécanisme de ce type ne soit attesté avant les inventions de Léonard de Vinci entre le XIVe et le XVe siècle donc, pour l'époque, un système de ce genre est révolutionnaire.

Devant l'air un peu perdu de Néné, je réalisai que j'avais balancé beaucoup trop de dates dans la même phrase. Mon pote avait, certes, de nombreuses qualités, mais il était totalement allergique à l'histoire quand elle ne concernait pas directement son village. J'avais découvert que pour mon *geek* d'ami, l'histoire commençait, au mieux, à l'invention de l'électricité ; pour lui, les concepts de « Moyen Âge », « Renaissance » ou « Antiquité » n'évoquaient que des barbares indifférenciés ayant comme seul point commun une absence de connexion Internet. Autant dire des hommes des cavernes.

Lui parler de « chapelle du XIIIe siècle » ou de « mécanisme du XIVe » était probablement aussi évocateur pour lui que la notion de droits de l'homme pour un terroriste d'Al-Qaïda.

Maman m'ayant toujours dit qu'un bon prof était celui qui savait se faire comprendre de son public, je décidai donc de reformuler ma phrase en version « Néné ».

– C'est comme si tu découvrais une version de Windows antérieure à la naissance de Bill Gates.

– Nonnn, la vache, ce serait du délire total !!!

– Voilà, t'as saisi le principe, donc tu comprends bien que cette dalle pivotante a forcément été placée là pour protéger quelque chose d'extrêmement important et pas une micro pièce vide.

– C'est clair, et ton père avait sûrement trouvé ce que c'était.

– Oui, c'est sûr, ça expliquerait pourquoi il venait ici le jour de sa mort et que les Montagues lui aient volé ses cartes.

– Ton grand-père avait raison ; c'est dommage que l'ordi de ton père ait brûlé parce que j'aurais pu trouver des traces de ses recherches sur son disque dur.

Bon sang, Néné avait raison, j'étais tellement nul en informatique que j'avais zappé ce point de détail. Césarine m'avait pourtant dit qu'elle avait l'ordi de papa et je n'avais pas pensé à vérifier le contenu de ses dossiers.

Je me serais mis des baffes.

Méduse

La chambre de ma sœur était dans un état indescriptible.

Elle qui est habituellement une maniaque absolue de l'ordre avait transformé ses murs en panneaux d'affichage géants, où étaient punaisés une multitude de plans et de cartes recouverts de lignes et de chiffres. Debout, au milieu de la pièce, Césarine tournait lentement sur elle-même en psalmodiant des phrases indistinctes.

Quand ma sœur était dans cet état, je savais qu'il n'y avait rien à faire pour l'atteindre. Elle était partie très loin, dans son monde à elle, celui dans lequel elle se réfugie parfois quand le monde réel lui semble tout à coup trop difficile à supporter.

Je déteste ces moments à cause de l'impuissance que je ressens. Ma sœur n'est tout simplement plus là et je ne peux rien y faire. Quand elle est dans cet état, la seule chose envisageable est de la laisser tranquille car la moindre interruption déclenche chez elle des crises de rage intenses. Comme un animal blessé dérangé au fond de son abri, elle se met alors à hurler et casse tout ce qui se trouve à sa portée et peut même se blesser en se jetant contre les murs.

J'avais déjà assisté plusieurs fois à ce genre de scènes et je ne souhaitais pas réitérer l'expérience.

– Viens Néné, ce n'est pas le moment de la déranger, on reviendra plus tard.

– Attends Gus, l'ordi est juste là sur la table. Je vais essayer de l'attraper.

Avant que je puisse faire le moindre geste pour l'arrêter, Néné est entré dans la chambre. C'était une très mauvaise idée et je m'apprêtai à me précipiter pour empêcher ma sœur de hurler et de lui sauter dessus quand il se passa quelque chose de très inhabituel. Quand Néné saisit l'ordi, Césarine se tut et s'immobilisa avant de tourner son regard vide vers lui.

Pendant quelques secondes, plus longues que des heures, les yeux noirs de ma sœur semblèrent scanner la scène et peser la décision qui s'imposait.

Sur le papier, j'étais certain que ce que voyait ma sœur, à savoir un presque inconnu s'introduisant dans son espace vital et lui volant un objet lui appartenant, allait déclencher une réaction violente, pourtant, lorsque ses lèvres s'écartèrent enfin, ce ne fut pas pour pousser le hurlement primal auquel je m'attendais, mais juste pour murmurer : « mot de passe »… avant qu'elle se remette tranquillement à tournoyer en psalmodiant… comme si rien ne s'était passé !

Là, pour le coup, j'avais vraiment de quoi être jaloux.

– La vache. Tu sais que j'ai flippé un max, me dit Néné tandis que nous nous dirigions vers la bibliothèque.

– Ouais, moi aussi figure-toi. Je ne comprends toujours pas pourquoi ma sœur ne t'a pas sauté dessus. Elle doit vraiment t'apprécier.

– C'est grâce à mon charme fou, se rengorgea mon pote en redressant les épaules.

J'ai dû avoir l'air un peu trop dubitatif car il ajouta aussitôt :

– N'empêche que j'ai flippé. Quand ta sœur s'est retournée vers moi et qu'elle a plongé ses yeux noirs dans les miens, j'ai compris ce que pouvait ressentir un bébé phoque croisant le regard d'un orque avant de se faire dévorer. Sans déconner, mec, j'ai failli m'évanouir, ajouta-t-il en frissonnant.

– Ça, c'est l'effet Césarine. Au final, ce n'est pas plus mal qu'elle ne regarde jamais les gens dans les yeux. Elle a toujours eu ce regard noir, profond, sans âge, absolument glaçant. Avec papa, on disait tout le temps que c'était certainement une de ses ancêtres qui avait inspiré le mythe de Méduse.

– Heuu, t'es ouf ou quoi ? Les méduses, ça pique, mais ça n'a pas d'yeux.

– Mais non banane, pas la méduse qui habite dans la mer… Méduse, avec un M majuscule.

Devant son air largué, j'ai compris qu'il allait falloir que je sois plus précis.

– Méduse, la gorgone, le monstre mythologique de femme avec une chevelure de serpents qui transformait en pierre tous ceux qui la regardaient dans les yeux, expliquai-je en secouant la tête et en mimant des serpents avec les mains.

– Ah ouais… cette méduse-là, bien sûr, dit Néné d'un air gêné.

Visiblement, il n'avait pas la moindre idée de ce dont je voulais parler.

– Sans déconner, mon pote, je sais que tu es un génie de l'informatique, mais il faut vraiment que tu améliores ta culture générale, parce que là c'est tout de même limite. Sors la tête de tes écrans et lis un peu… D'ailleurs, c'est quoi le fameux livre que tu as acheté ? Tu m'as toujours pas dit.

Mais Néné n'avait pas envie de me parler de son livre car, comme d'habitude, il préféra répondre à ma question par une autre question.

– Et toi ? Tu t'y connais un peu en informatique, Auguste, ou tu as besoin d'aide pour craquer les dossiers de ton père ?

Bien fait pour moi, je n'avais qu'à pas le chercher ! Néné venait de mettre le doigt sur mon point faible. J'étais nul en informatique et j'avais toujours préféré les livres et les stylos aux écrans et aux claviers. Quand mes potes chattaient, jouaient en ligne et téléchargeaient à tour de bras, moi, je n'avais toujours pas de portable ou d'ordi et je continuais à acheter mes films et mes CD dans des boutiques. Pour vous dire à quel point je suis vintage, j'ai même récupéré la vieille platine et les vinyles de mon père parce que j'adore le son inimitable qu'elle rend avec son souffle rauque et ses craquements ; je trouve ça tellement plus magique que le son en boîte aseptisé des disques d'aujourd'hui. Mais comment expliquer à mon *geek* de copain que j'étais si nul en informatique que c'était ma sœur qui m'avait téléchargé la playlist de mon iPod ?

– Heu, en fait c'est pas trop mon truc les ordis et tout ça. Moi je suis plutôt *unplugged* comme mec, tentai-je de lancer d'un air détaché.

Néné pila net dans le couloir.

– Tu déconnes mon pote, tu me fais une blague là ! Déjà que t'as pas de téléphone portable, me dis pas que tu ne sais pas te servir d'un ordi.

– Mais si, je sais me servir d'un ordi... Mais je m'en sers pas souvent, c'est tout.

– Pas souvent comment ?

– Je vais chercher des infos pour l'école sur Wiki, je regarde les horaires de ciné, enfin tu vois, ce genre de trucs. Mais j'ai aussi une page Facebook, ajoutai-je en bombant le torse, tout fier de lui prouver que j'avais un pied dans le monde moderne.

Néné me regarda avec une totale incrédulité, je pense même qu'il aurait eu l'air moins surpris si je lui avais avoué que je croyais encore au Père Noël ou que je rêvais de devenir danseuse étoile. Pour être franc, son regard était limite vexant.

– Non !!! T'as un compte Facebook ! Je le crois pas ! Et t'as combien d'amis ?

Merde, il venait à nouveau de trouver le point sensible, et quand j'ai fini par lui avouer que je n'en avais que vingt-sept, il se roulait littéralement par terre et j'étais carrément vexé.

– Bon ben, ça va, tu devrais plutôt être content que je sois nul, ça te permettra de ramener ta science. Je ne peux pas être bon partout non plus !

– Te vexe pas. C'est juste que t'es carrément une espèce en voie de disparition, même ma grand-mère a plus d'amis que toi et fait ses courses en ligne, me dit-il en cessant enfin de se foutre de moi.

De toute façon, il avait mille fois raison, alors autant prendre le parti d'en rire.

– Je ne connais pas ta grand-mère, Néné, mais il y a de grandes chances pour qu'elle soit effectivement plus calée que moi en informatique. Tu vas être obligé de me donner des cours particuliers. En échange, je t'apprendrai à te coiffer, je pense que niveau boulot ça devrait être kif-kif.

– Ah, ah, très drôle. Allez, file-moi la bécane de ton père qu'on voit ce qu'elle a dans le ventre.

J'étais tellement occupé à discuter que je ne vis pas papi qui sortait en courant de la bibliothèque. Le choc fut d'autant plus brutal que la malchance me fit retomber sur mon bras plâtré.

Je commençais à en avoir marre de recevoir des coups et c'est d'un ton assez énervé que je m'employai à le faire savoir à mon grand-père… et probablement à l'ensemble des habitants de la maison.

– NON MAIS ÇA NE VA PAS BIEN DE BOUSCULER LES GENS COMME ÇA !!!!!!

Néné, qui était en train d'aider papi à se relever, me regarda comme si je m'étais transformé en une grosse bouse de vache.

– Hé, c'est toi qui ne vas pas bien de hurler comme ça contre ton grand-père. Tu vois bien qu'il n'a pas fait exprès. Fais gaffe, mec, tu commences à ressembler aux BCG, faudrait voir à te calmer un peu !

Bon, il avait raison et son argument était mortel : ressembler aux frères Montagues !

Néné n'avait peut-être pas beaucoup de références littéraires, mais il savait trouver les mots et je me calmai immédiatement ; d'autant que papi avait l'air bouleversé.

– Je vous cherchais les garçons. Marc vient d'appeler, il faut que nous le rejoignions d'urgence à Sainte-Catherine, sa salle de classe a été fouillée cette nuit. Tant pis pour ta mère, Auguste, c'est un cas d'urgence, il faut absolument que vous nous aidiez à déplacer les archives. Elles ne sont plus en sécurité là-bas !

Voilà, moi qui me demandais comment cette journée allait pouvoir réussir à être pire que les précédentes, j'avais enfin ma réponse : on était dimanche et il fallait que je retourne à l'école... Non mais franchement !

piégés

Papi, d'habitude si calme, avait l'air très inquiet et je pense que son antique camionnette n'avait jamais roulé aussi vite.

La grande porte de Sainte-Catherine était ouverte et le collège était complètement désert ; c'était un peu fantomatique et très étrange de nous garer au milieu de la cour, là où habituellement monsieur Derozier tentait de nous convaincre de l'importance des sports collectifs. Je m'attendais presque à le voir surgir d'une arcade dans son survêt de footeux aux couleurs de Saint-Étienne, son sifflet et son chrono autour du cou en nous lançant dans un grand sourire : « Allez les filles ! On s'active, c'est un peu mou tout ça ! » Comme il est plutôt beau gosse, ça avait tendance à faire glousser les filles et j'avais bien repéré qu'il y en avait même certaines qui se maquillaient pour aller en sport. Mais là, la cour était vide, et il faut bien avouer que, sans lui, ce n'était pas pareil.

Arrivés devant la porte de l'ancien observatoire qui servait de repère à DeVergy, nous avons été stoppés par une désagréable odeur de papier calciné. Un spectacle ahurissant s'étalait devant nos yeux.

Dire que la salle de cours avait été fouillée était très en dessous de la vérité. C'était comme si un cyclone, doublé d'un tremblement de terre, avait réussi à s'introduire entre les murs. Il n'y avait plus un seul livre dans les rayonnages ; tous les ouvrages sans distinction avaient été projetés au sol et s'empilaient misérablement au centre de la pièce en un monticule impressionnant de feuilles arrachées, de couvertures brisées et de papiers froissés à moitié calcinés et détrempés.

Qui que soient les personnes qui avaient fait cela, elles n'y étaient pas allées de main morte ; chaque livre semblait avoir été systématiquement ouvert, souillé, violé, et je pensais immédiatement aux photos des autodafés organisés par les nazis que j'avais vues dans mon manuel d'histoire.

Debout devant ce monceau de papiers détruits, DeVergy, sale, trempé, avait l'air d'avoir perdu toute son énergie. Ses épaules étaient basses et semblaient supporter tout le poids du monde, ses tatouages noircis par la suie ne formaient plus sur ses bras qu'une croûte de cendre sale, tandis que l'étincelle d'humour brillant habituellement dans ses yeux s'était éteinte.

Le spectacle était si désolant que nous sommes restés sur le seuil de la classe sans oser nous approcher et il s'écoula ainsi de longues minutes avant que papi ne s'avance vers le prof.

– Marc, ça va ?

DeVergy se tourna vers lui tout en secouant la tête d'un air désespéré.

– Cette bibliothèque avait plus de deux cents ans. Mes ancêtres l'avaient constituée après la Révolution française, pour conserver les ouvrages que les moniales de Sainte-Catherine avaient sauvés des saccages de La Terreur. Deux cents ans de conservation, d'archivage, de lectures… tout ça pour en arriver là, murmura DeVergy en désignant les dégâts d'un ample geste de la main.

– Tu as une idée de ce qui s'est passé ?

– Plus qu'une idée, répondit le prof en désignant la coupole au-dessus de nos têtes ; j'ai installé un système de vidéosurveillance après la mort de Jean ; c'est l'alarme qui m'a permis d'éviter la destruction totale de Sainte-Catherine. Les livres commençaient à brûler lorsque je suis arrivé et j'ai pu éteindre le brasier avant qu'il ne soit trop tard. Enfin, sauf pour les livres malheureusement. Regardez, dit-il en activant une vidéo sur son smartphone.

L'écran était un peu petit pour que nous distinguions les détails, mais l'image ne laissait pas de place au doute. Sur les deux minutes de visionnage, on voyait clairement dix hommes en noir cagoulés qui jetaient méthodiquement les livres au sol en s'interpellant à la fin de chaque étagère mise à sac par les mots « *nihil hic* », ce qui signifie « rien ici » en latin.

– Tu sais qui c'est ? demandai-je à mon grand-père.

– Avec ces cagoules noires, c'est difficile à dire, mais le gabarit de celui-ci laisse peu de doute sur son identité.

– Montagues ?

– Oui, j'en suis presque sûr, de même que ces trois-là qui ont l'air de servir de guetteurs sont certainement ses fils ; mais le pire n'est pas là.

– Pourquoi ?

– À l'exception des trois gamins, les adultes se parlent en latin, et cela signifie que nous avons affaire à une action internationale.

Au ton de sa voix, il était clair que ce n'était pas une bonne nouvelle et même si, en soi, le fait que des adultes sains d'esprit choisissent de parler latin entre eux sans y être forcés par un prof ait de quoi chambouler toutes mes certitudes sur la nature humaine, j'avais quand même besoin qu'on m'explique un petit peu où était le problème.

– Heu, vous pouvez traduire svp ? Et pas la peine de recommencer avec votre couplet sur toutes les raisons qui doivent vous pousser à me tenir à l'écart parce que, au cas où vous ne l'auriez pas remarqué, je suis là !

De toute façon, papi et DeVergy n'avaient pas le courage de résister.

– Vu l'urgence de la situation, je vais aller à l'essentiel, me dit papi. Tu sais déjà que notre Confrérie collecte et protège la mémoire du monde ; mais si nous sommes obligés de la protéger, tu te doutes bien que c'est parce qu'elle est en danger. Depuis toujours, une organisation parallèle à la nôtre, dont les membres se font appeler les « Autodafeurs », tente de retrouver nos archives pour les détruire.

– Ça, tu me l'as déjà dit ; moi, ce que j'aimerais savoir, c'est POURQUOI ils veulent les détruire !

– Parce que l'homme mauvais a toujours eu besoin d'avancer dans l'ombre et le mensonge, et que la vérité contenue dans ces manuscrits leur fait peur.

– Ben alors, pourquoi vous ne les publiez pas tout simplement ? demandai-je avec naïveté.

– Oh mais nous le faisons, c'est même le rôle du Propagateur. Mais tu sais, Auguste, rien n'est plus dangereux que de dévoiler la vérité à des hommes qui ne sont pas prêts à l'entendre.

– C'est-à-dire ?

– C'est-à-dire que l'histoire nous a appris à être prudents dans nos révélations, pour éviter les bains de sang qu'elles peuvent occasionner.

– J'ai du mal à croire qu'un simple livre puisse tuer des gens, c'est complètement dingue.

– Beaucoup moins que tu ne le crois, mon garçon, et les exemples que je pourrais te donner sont nombreux.

– Ben, commence par m'en donner un, ce sera toujours ça.

Papi soupira avant de poursuivre rapidement.

– Au début du XVIe siècle, le Propagateur des archives de l'Est a choisi de dévoiler à un théologien humaniste des textes inédits et épurés des évangiles. Des textes qui lui ont fait comprendre que la plupart des dogmes de l'Église avaient été conçus par les papes successifs pour des motifs exclusivement politiques et économiques… comme l'invention du purgatoire ou l'interdiction aux prêtres de se marier pour pouvoir capter les héritages.

– Eh bien, c'est super, il a bien fait de dévoiler les vrais textes. Quel est le problème ?

– Le problème, c'est que l'époque n'était pas prête à accepter de remettre en cause le pouvoir de l'Église et qu'en répandant ces nouvelles idées, Martin Luther provoqua sans le vouloir huit guerres de religion entraînant, directement ou indirectement, la disparition de six à huit pour cent de la population française.

– Et ça fait beaucoup ?

– Environ un million de personnes.

C'est sûr que, vu comme ça, c'était nettement plus impressionnant et je commençai à comprendre pourquoi mamie et maman ne voulaient pas que je prenne la place qui me revenait de droit dans la Confrérie.

– Et donc nous, sauf quand on provoque sans le faire exprès la mort de milliers de personnes, on est les gentils et ces « Autodafeurs » sont les méchants…

– Comme dans *Star Wars* avec la Force et le côté obscur de la Force, balança tout à coup Néné en s'immisçant dans la conversation.

Papi eut l'air un peu désorienté par l'intervention de mon pote, mais se ressaisit assez vite.

– Oui Robert, on peut voir ça comme ça effectivement ; l'éternelle lutte entre le bien et le mal, l'ombre et la lumière, la connaissance et l'ignorance.

– Donc, vous, vous êtes genre Han Solo et Luke Skywalker, et les types qui ont détruit la bibliothèque et coincé les petites dans la chapelle sont l'empereur Palpatine et Dark Vador…

En disant ces mots, une idée sembla soudain le frapper et Néné se tourna brusquement vers moi.

– Hé mec, moi je veux bien participer, mais je veux pas être Chewbacca.

À ce stade, mon grand-père était complètement largué (ça lui apprendrait à ne jamais aller au cinéma) et DeVergy dut intervenir pour réorienter la conversation.

– Même si nous avons toujours eu des doutes sur certaines personnes, nos ennemis ont réussi à rester dans l'ombre. Comme nous, leur organisation s'étend sur tous les continents et, comme nous, la langue de communication entre les différents membres est le latin.

– Donc, concluais-je à sa place, entendre des hommes en noir discuter en latin est la preuve que des membres de plusieurs pays se sont retrouvés ici cette nuit, et le fait que les Montagues soient avec eux prouve qu'ils sont passés dans le camp des Autodafeurs.

– Malheureusement oui, et c'est ce qui est grave. Charles Montagues n'a jamais terminé sa formation, mais il sait tout de même beaucoup de choses ; notamment que les archives européennes de la Confrérie datant d'après la Révolution française sont cachées à Sainte-Catherine, et c'est certainement ce qui explique la présence ici des Autodafeurs.

– Et ce serait embêtant s'ils les trouvaient, ces archives ? demanda Néné.

– Très. Elles leur permettraient de reconstituer l'histoire de l'ordre depuis la fin du XVIIIe siècle, de connaître le nom des familles qui le compose ainsi que l'emplacement de leurs cachettes.

– Mais il y a quoi exactement dans ces archives ? demandai-je à mon tour.

– À partir du Moyen Âge, chaque membre de l'ordre tient un livre de bord où il consigne chacune de ses actions en rapport avec la Confrérie. À sa mort, ce livre est transmis à son successeur qui doit le lire avant de nous le confier. Les archives de Sainte-Catherine regroupent la totalité de ceux écrits après 1789, et ce, pour toute l'Europe !

Tout à coup, une partie de ce que venait de me révéler DeVergy sur ces archives me fit penser à quelque chose.

– Mais, pourquoi je n'ai pas eu le livre de bord de papa alors ? Vous n'auriez pas dû me le donner à sa mort ?

Au lieu du prof, c'est papi qui se chargea de me répondre.

– J'aurais bien aimé mon grand, mais malheureusement, nous n'avons pas réussi à mettre la main dessus et j'ai bien peur qu'il n'ait disparu lors de l'incendie qui a suivi l'accident de voiture de ton père. Mais comprends bien que si les Autodafeurs mettent la main sur les livres de bord entreposés ici, ils pourraient remonter la totalité de notre réseau au niveau européen, mais aussi, par ricochet, au niveau mondial.

– Ce serait une catastrophe, ajouta DeVergy. Aujourd'hui, nous avons eu de la chance, car la pièce secrète où sont entreposées les archives est récente et Charles ne la connaissait pas, c'est ce qui nous a sauvés ; mais les Autodafeurs vont revenir !

– Vous inquiétez pas, monsieur, on va vous aider à tout arranger. Hein Auguste, ajouta Néné en s'avançant à son tour.

Au vu des enjeux, imaginer qu'on puisse « arranger » quoi que ce soit était parfaitement idiot, mais l'intervention de mon pote eut au moins le mérite de tirer un sourire à DeVergy.

– Merci Robert, c'est gentil de proposer ton aide.

DeVergy se dirigea alors vers le fond de la pièce, là où était placé son bureau. Il le repoussa sans ménagement contre le mur avant de faire basculer la rangée d'étagères qui se trouvaient derrière lui.

Sans surprise, je découvris alors que le mur de pierres était percé d'une massive porte de bois, sans poignée ni serrure, sur laquelle se détachait la gravure d'un unique blason.

– Encore un phénix, s'exclama Néné. Décidément, il vous plaît cet animal pour en coller de partout comme ça. Et celui-là aussi il s'ouvre sur une pièce secrète ?

Sans lui répondre, DeVergy plaça la paume de sa main au centre de la croix flammée qui s'illumina d'un coup ; une lumière verte scanna l'empreinte du prof avant qu'un déclic se fasse entendre.

– Là aussi tu vas me dire que c'est un truc de Léonard machin, et que ça date de je ne sais plus quel siècle, murmura Néné.

– Ça m'étonnerait, ça semble un peu plus récent tout de même, répondis-je en rigolant.

– J'ai fait installer le scanner d'empreintes digitales il y a cinq ans, en même temps que la pièce d'archives à hygrométrie tempérée pour conserver les manuscrits les plus anciens. Certains commençaient à s'abîmer. C'est ton père qui s'est occupé des travaux, ajouta DeVergy avant de nous faire signe de le suivre.

– C'est quoi « les gros métriques » ? demanda Néné.

Je levai les yeux au ciel.

– Pas « les gros métriques », l'hygrométrie. C'est ce qui permet de choisir le taux d'humidité d'une pièce pour éviter que des documents fragiles s'abîment en moisissant si la pièce est trop humide ou en craquant si la pièce est trop sèche.

– Ah, OK… c'est pour ça qu'on ne met pas de livres dans les salles de bains alors.

– Ouais, c'est ça.

À l'intérieur de la pièce secrète, des caissons ultra sophistiqués nous attendaient. Contrairement à ce que je pensais, ils n'étaient pas très nombreux ; à peine une vingtaine bien alignés contre les murs.

– C'est tout ? demandai-je à DeVergy.

– Et tu t'attendais à quoi ?

– Ben, je sais pas. À des coffres anciens avec des codes secrets et des gros cadenas en métal rouillé. Là on dirait les mallettes à roulettes en acier qu'utilisent les musicos dans les concerts.

Je dus vraiment avoir l'air déçu car même papi s'autorisa un sourire.

– Je ne regarde peut-être pas assez la télé, Auguste, mais toi tu la regardes un peu trop, mon grand. On n'est pas dans un mauvais film d'action mais dans une réalité complexe que tu es encore trop jeune pour saisir. Nous sommes les gardiens d'une connaissance qui nous dépasse et qui peut transformer l'avenir de l'humanité, mais nous sommes très peu nombreux, à peine trois ou quatre familles par pays et, comme nous te l'avons expliqué tout à l'heure, ne se trouvent ici que les livres de bord écrits après 1789, ce qui, au final, fait que nous n'avons pas tant d'ouvrages que ça à protéger.

Néné nous écoutait en triturant ses cheveux d'un air concentré, signe que quelque chose le turlupinait.

– Excusez-moi, m'sieur, mais y sont où les autres livres alors ?

– Là, tu mets le doigt sur le gros problème des secrets qui ne sont détenus que par une seule personne ; c'est efficace jusqu'à ce que leur détenteur meure avant d'avoir pu léguer leur secret à leur successeur, lui répondit papi.

Néné hocha gravement la tête.

– C'est clair, c'est à cause de ça qu'on ne mange plus de tarte aux myrtilles à la maison ; ma grand-mère est morte sans avoir filé la recette à ma mère et c'est drôlement dommage !

Sa remarque fit sourire papi qui s'empressa de continuer son histoire.

– Tu as parfaitement raison et, dans notre cas, c'est presque pareil. Lorsque notre ancêtre fut arrêté et décapité par les révolutionnaires, son fils n'avait que cinq ans et il n'a pas pu lui transmettre le secret de sa cachette. Depuis, notre famille cherche les archives mais jusqu'à présent, nous ne sommes arrivés à rien.

Pendant que papi racontait les détails de notre histoire familiale à Néné, je me morfondais en me disant que si le livre que je devais trouver avait brûlé avec papa, je risquais d'avoir du mal à remplir ma mission. Mais ce n'était ni le moment de discuter, ni le moment de gamberger.

Un par un, nous avons sorti les caissons de leur cachette et nous les avons descendus dans la cour pour que papi et Néné puissent les installer à l'arrière de la camionnette. Nous travaillions vite, dans le plus grand silence, et il nous fallut moins d'une heure pour tout charger. Mais c'était encore trop long.

Alors que nous entamions notre dernier voyage, j'entraperçus une ombre qui s'avançait derrière mon prof.

En une fraction de seconde, je compris que tout cela était un piège. Le saccage de la bibliothèque et le début d'incendie avaient pour but de nous affoler et de nous inciter à déménager les archives secrètes… et nous venions bêtement de tomber dans le panneau.

Le cri que je m'apprêtais à pousser pour avertir DeVergy ne sortit jamais de ma bouche. Un sac imprégné d'une odeur entêtante et doucereuse s'abattit sur ma tête au moment où je prenais ma respiration pour hurler… et tout devint noir.

journal de Césarine

Je suis partie à la recherche de l'entrée du souterrain, mais, cette fois-ci, je me suis mieux préparée.

J'ai pris le couteau suisse et la boussole d'Auguste, la lampe torche de papi, une gourde avec de l'eau et un paquet de mes gâteaux secs préférés (les petits-beurre rectangulaires qui ont quatre grands angles en forme d'oreille, quarante-huit petites bosses sur les côtés et qui sont décorés de vingt-quatre points répartis sur quatre rangées et six colonnes).

Je n'avais pas beaucoup d'indices pour trouver le souterrain, mais en réfléchissant un peu, la bibliothèque semblait le point de départ le plus plausible. Même si ce n'était pas celui que je préférais !

Il allait donc falloir que je passe du temps dans la pièce que je détestais le plus. Du coup, avant de commencer, j'ai beaucoup réfléchi et j'ai préparé un « plan d'action » qui devait m'éviter de perdre mon temps.

1- Un souterrain est « sous terre », donc je pouvais déjà éliminer tous les étages.

2- Les dalles avaient été enlevées puis reposées quand papi et mamie avaient fait installer le chauffage au sol ; il était donc inutile de m'en occuper… Si le souterrain était dessous, je ne le trouverais jamais.

Au final, après avoir tout bien retourné dans ma tête, il ne me restait à explorer que les deux murs latéraux, sauf que c'était justement sur ceux-là que se dressait le plus grand nombre de rayonnages et que, rien que d'y penser, j'avais mal à la tête.

Pour éviter de paniquer, j'ai enlevé tous les livres un par un, étagère par étagère, en commençant toujours par le bas à droite.

Au fur et à mesure, je comptais les livres et je les disposais en piles bien nettes sur le sol par ordre de taille. Ça m'a permis de me concentrer sur quelque chose de concret et de ne pas penser à ces centaines d'ouvrages mal rangés qu'il y avait dans la pièce. Je n'ai pas vu le temps passer.

Au bout de deux heures, j'avais réussi à vider toutes les étagères du premier niveau. Ça faisait vraiment beaucoup de livres : trois mille six cent quarante-sept qui composaient maintenant soixante-dix-huit jolies pyramides bien alignées sur le sol.

Je n'avais toujours rien trouvé, mais j'étais fière de mon travail, la bibliothèque était enfin bien rangée. Alors, je me suis accordé une pause.

J'ai bu un peu d'eau et j'ai mangé deux petits-beurre en commençant par croquer les quatre coins puis en grignotant chacune des petites bosses avant de vérifier qu'ils avaient bien leurs vingt-quatre points de décoration.

Le compte y était, alors j'ai pu finir de les avaler.

Maman n'aime pas trop quand je fais ça et c'est vrai que c'est un peu long, mais quand mon petit-beurre est parfait, c'est le signe que je vais passer une bonne journée, alors c'est tout de même important.

Là, mes deux petits-beurre étaient parfaits ; ça m'a redonné espoir et je me suis remise au travail.

Mais avant, j'ai réfléchi.

Si mes yeux ne voyaient rien, il fallait que j'utilise autre chose, comme avait fait Sara dans la chapelle. Donc j'ai fermé les yeux et j'ai fait glisser mes mains sur tous les panneaux de toutes les étagères en commençant par le bas à droite.

Au bout d'un moment, mes doigts pouvaient sentir toutes les aspérités des planches : les petites fêlures à peine visibles, les minuscules trous laissés par les vers à bois, les gros nœuds tordus, les gonflements dus à l'humidité et les craquèlements imposés par la sécheresse. C'était comme si j'avais une longue conversation avec le bois, les arbres et les forêts qui avaient été sacrifiés pour servir de refuge à nos livres.

C'était difficile mais malgré les échardes, je ne me suis pas découragée ; et puis, à force de leur parler, les planches ont fini par me répondre ; c'était si léger que j'ai failli passer par-dessus sans m'en apercevoir.

Là, tout au fond de la plus haute étagère, à droite de la cheminée, j'ai senti une gravure qui ne ressemblait ni à une fissure, ni à des trous de vers, ni à un nœud. C'était beaucoup trop régulier pour être naturel, mais j'avais du mal à distinguer ce que c'était à cause de la couche de peinture et de vernis qu'il y avait dessus.

J'avais bien fait de prendre le couteau suisse.

J'ai gratté la peinture et mes yeux ont pu confirmer ce que mes doigts avaient déjà deviné : une croix flammée se détachait sur le fond de la bibliothèque.

Alors j'ai ramassé toutes mes affaires, j'ai appuyé de toutes mes forces sur la croix... et je me suis retrouvée de l'autre côté du mur ou, plus exactement, ENTRE les murs !

J'avais enfin compris pourquoi il manquait des mètres dans certaines pièces.

J'étais dans un long couloir d'un mètre de large qui courait entre le dos des bibliothèques et le mur d'origine de la pièce ; à gauche, la paroi était en bois, et à droite en pierre, tandis que le sol était fait des mêmes tomettes que la bibliothèque.

J'ai avancé sur quelques mètres et je suis arrivée devant des marches de pierre qui s'enfonçaient dans le sol et aboutissaient dans un souterrain sombre et humide. J'ai hésité un moment ; pas à cause du noir dont je n'ai pas du tout peur, mais à cause de l'odeur ; le tunnel sentait la terre profonde, les feuilles décomposées et les champignons. Ça m'a fait penser à l'enterrement de papa et je n'étais plus très sûre d'avoir envie d'y aller. Alors je suis retournée sur mes pas et c'est là que j'ai vu que le panneau s'était refermé et que j'étais coincée.

Je n'ai pas aimé du tout.

J'ai commencé à compter et ça aurait pu durer longtemps si je ne m'étais pas souvenue que mes deux petits-beurre étaient parfaits et donc qu'il ne pouvait rien m'arriver.

Alors je suis entrée dans le souterrain.

accusé

Quand je me suis réveillé, il y avait plein de gens qui couraient autour de moi et il m'a fallu un peu de temps pour réaliser que j'étais toujours à Sainte-Catherine.

J'étais allongé sur le sol de la salle de cours de DeVergy, au pied du tas de livres incendiés, et un policier me secouait violemment en me demandant pourquoi j'avais fait ça.

Évidemment, fidèle à mon habitude de dire une bêtise quand je me sens déconcerté, j'ai lâché : « Ça, quoi ? » avant de remarquer que j'avais un briquet dans la main droite et que mes fringues empestaient l'essence.

Vu la force de déduction de nos amis en uniforme, il ne fallait pas être un des « Experts Las Vegas » pour comprendre que je venais de devenir leur suspect numéro un pour le saccage de l'école.

Je n'avais pas vraiment les idées claires.

Le produit qu'avaient utilisé les Autodafeurs pour m'endormir m'avait donné un mal de crâne terrible ainsi qu'une légère envie de vomir.

Bref, j'étais mal et les hurlements du flic en face de moi ne faisaient rien pour améliorer mon état.

– Je peux avoir un verre d'eau, s'il vous plaît ?

– Et puis quoi encore, tu veux pas un double cheese et une maxi frite tant que tu y es ? Je te le demande pour la dernière fois : qui sont tes complices ?

C'est à ce moment-là que je réalisai que j'étais tout seul, enfin je veux dire à part le bataillon de flics bien sûr. Papi, DeVergy et Néné n'étaient plus là.

Soit ils m'avaient abandonné et s'étaient tirés pour aller mettre les archives en sécurité (ça, c'était la version optimiste), soit les Autodafeurs les avaient embarqués (et ça, c'était la version pessimiste).

Comme je ne voyais pas bien l'intérêt qu'auraient pu avoir mes amis de m'abandonner aux flics avec un briquet à la main, j'en ai déduit que la version pessimiste était aussi la plus réaliste.

Et ça, ça craignait vraiment !

– Je vous l'avais bien dit que cet élève était une forte tête, lança une voix que je connaissais bien. Il m'a frappé dès son arrivée au collège, a agressé sans raison des camarades, et vos collègues le soupçonnent d'avoir mis le feu chez lui. Alors incendier l'établissement n'est que la suite logique de cette escalade, expliqua Le Négrier aux policiers.

– Hé ! Ça ne va pas de dire des conneries pareilles ! me révoltai-je immédiatement.

Le Négrier se retourna vers moi en souriant à moitié.

– Alors vous allez pouvoir nous expliquer ce que vous faites dans cette pièce, un dimanche, avec un briquet à la main ? Vous préparez un barbecue pour la fête de l'école peut-être ? ironisa-t-il.

– Heu... pas du tout... en fait, je... heu... je venais voir monsieur DeVergy pour un cours particulier, lançai-je à tout hasard en racontant le premier truc qui me venait à l'esprit.

– Ben voyons, et ce cours portait sur quoi ? L'AUTODAFÉ au cours des siècles ?

En entendant l'insistance qu'il mettait sur ce mot, je sursautai et observai le dirlo un peu plus attentivement. Sous son air faussement outré, je m'aperçus alors qu'une lueur sadique et amusée brillait au fond de ses pupilles.

IL SAVAIT ! Et tout à coup, certains événements me revinrent en mémoire : les BCG m'attendant à la sortie le premier jour alors que je quittais son bureau ; l'insistance du dirlo à m'enfoncer auprès des flics, des profs et des élèves ; mon internement étrange dans la clinique de son frère et Césarine parlant des chaussures à BOUCLES et de la voix mielleuse du type qui avait volé les plans dans le bureau de papa après sa mort. Les pièces du puzzle se mettaient en place ; Le Négrier était un Autodafeur et c'était certainement un des hommes en noir que DeVergy avait vus sur sa vidéosurveillance... Ce qui signifiait qu'il savait aussi ce qu'étaient devenus mes amis et mon grand-père.

Je lui sautai à la gorge et malgré mon bras plâtré, je le précipitai au sol.

– Espèce d'ordure ! Où sont-ils ? Que leur avez-vous fait ? Si vous avez touché à un seul de leurs cheveux, je vous promets que vous vous en souviendrez...

Il aurait dû avoir peur et pourtant je lus au fond de ses yeux qu'il semblait ravi de la situation. Il ne fit pas un geste pour se défendre, se contentant de laisser deux policiers me ceinturer. Puis, tout en redressant le col de sa veste en tweed, il se tourna vers l'inspecteur pour m'enfoncer.

– Vous voyez bien que ce garçon est agressif, instable et dangereux.

Je compris qu'il m'avait piégé, mais loin de me calmer, sa remarque me déchaîna et les flics durent se mettre à quatre pour m'empêcher de l'étrangler. J'étais coincé et si je voulais avoir une chance de sauver mes amis, il fallait que je dise tout ce que je savais aux policiers. Malheureusement, les Autodafeurs aussi devaient souhaiter conserver le secret, car avant que je puisse ouvrir la bouche, je vis s'avancer deux des armoires à glace en blouse blanche que j'avais déjà vues à la clinique.

– Tenez le fermement qu'on lui injecte un tranquillisant, balança le plus grand aux policiers.

– Noooonnnn ! hurlai-je en me débattant de toutes mes forces, ne les laissez pas faire, je dois retrouver les autres !

Mais c'était perdu d'avance. Les Autodafeurs avaient effectué une manœuvre parfaite : nous avions perdu les archives secrètes, la plupart des livres de DeVergy étaient détruits et j'allais être accusé de leur crime.

Tandis que je commençais à m'endormir, je compris que j'allais moi aussi me retrouver à leur merci.

Comme quoi, j'avais bien raison de penser qu'il est contre nature d'aller à l'école un dimanche.

À mon réveil, j'étais de retour dans la clinique appartenant au frère du Négrier. Autant dire que j'étais pieds et poings liés dans la gueule du loup.

Je savais, pour en avoir fait l'expérience la fois précédente, qu'il était impossible de chercher à m'échapper. Non seulement la camisole de force qu'ils m'avaient passée avait l'air solide, mais en plus je savais que toutes les portes étaient soigneusement fermées par des serrures électroniques ne s'ouvrant qu'à l'aide d'un passe magnétique.

Le mieux que j'avais à faire était d'attendre que mamie et maman viennent me tirer de ce guêpier avant que les Autodafeurs ne me collent un autre délit sur le dos.

J'en étais là de mes réflexions quand le déclic de la serrure se fit entendre. Ne pouvant rien faire pour me libérer, je pris le parti de continuer à faire semblant de dormir tant que je ne saurais pas ce que me voulaient mes visiteurs.

Une main me secoua sans ménagement.

– Dis donc, il ne devrait pas être réveillé depuis le temps ?

– Normalement si, mais n'oublie pas que tu lui as fait respirer une sacrée dose de chloroforme et que mes infirmiers lui ont injecté des tranquillisants. L'effet doit être plus fort à cause du cumul… mais il finira bien par se réveiller tôt ou tard.

– Le plus tard possible j'espère, ricana Le Négrier, il nous reste encore la chapelle à vider avant de partir définitivement de ce trou à rat.

– Vous avez trouvé quelque chose ?

– Oui, le grand-père a lâché le morceau quand il a compris que son petit-fils était entre nos mains.

– Et alors ?

– L'espèce de cave trouvée par les gamines sous le sol de la chapelle est vide, mais Mars et DeVergy ont découvert que ce n'était qu'un leurre destiné à dissimuler la véritable cachette, comme pour les chambres funéraires égyptiennes. Le vieux espérait réussir à trouver un accès pour récupérer le trésor et se barrer avant notre intervention.

– Je me doutais bien que c'était pour ça qu'ils n'étaient pas partis. Tu vois qu'on a bien fait d'attendre. Et alors ? Ils ont trouvé quelque chose ?

– Non, l'entrée a dû être totalement rebouchée il y a des siècles car ils n'ont rien trouvé, mais ils ont détecté une résonance sous la cave. Nos experts me confirment qu'il y a bien un vide assez important en sous-sol ; ils attendent les explosifs pour commencer l'excavation.

– Des explosifs ? C'est un peu expéditif ; tu n'as pas peur qu'ils endommagent le contenu de la cachette ? Si, comme nous le pensons, ce sont des documents anciens, c'est assez risqué, objecta son frère.

Le Négrier soupira.

– Tu as raison, mais nous n'avons pas vraiment le choix ; les Mars avaient prévu leur départ pour demain et ils attendaient certainement des renforts pour déménager leurs archives. Nous sommes obligés de faire vite avant que la mère et la grand-mère comprennent ce qui se passe. Pour l'instant, elles sont occupées à essayer de faire sortir le gamin de la clinique, mais on ne pourra pas les tenir à distance très longtemps. Et les trois gugusses, vous en avez fait quoi ?

– Pour le moment, ils sont avec nous dans la chapelle, notre inquisiteur tente de leur faire lâcher un maximum d'informations, mais il pense qu'on n'en tirera pas grand-chose.

– Tu en es certain ?

– Oui, le vieux s'est effondré quand on l'a menacé de tuer son petit-fils, mais le gamin ne sait rien et leur Traqueur est trop bien entraîné pour dire quoi que ce soit.

– Entraînement ou pas, tout le monde parle face à l'inquisiteur.

– Sauf que si on veut faire passer leur mort pour un accident, on ne peut rien leur injecter et encore moins utiliser de méthode d'interrogatoire trop musclée, sinon les flics se poseront des questions quand ils retrouveront les corps.

– Et le petit, on le laisse ici ? C'était une bonne idée de lui coller l'incendie sur le dos, mais tu n'as pas peur qu'il finisse par tout dire aux flics ?

– Aucune importance. Avec la réputation que je lui ai faite au collège et l'expertise psychiatrique que tu as balancée au juge, aucune chance que quelqu'un accorde foi à ce qu'il pourra raconter.

– D'autant que personne ne sera plus là pour confirmer sa version des faits, ajouta cyniquement le directeur de la clinique.

– De toute manière, en admettant que les flics le croient, le temps qu'ils réagissent nous aurons déjà effacé toutes les preuves, conclut son frère.

Mon cœur battait tellement fort que je ne comprenais pas comment il était possible qu'ils ne l'entendent pas. Heureusement, tout au bonheur de voir que leur plan se déroulait comme prévu, ils sortirent de ma chambre sans me prêter plus d'attention.

Il n'était plus question que j'attende tranquillement des secours qui, visiblement, arriveraient trop tard. Papi, DeVergy et Néné étaient en danger de mort et il était temps que je passe à l'action.

J'étais en train de me débattre depuis cinq bonnes minutes pour tenter de me débarrasser de mes liens quand le déclic de la serrure se fit de nouveau entendre.

– Auguste ? Secoue-toi mon pote, faut qu'on se tire d'ici !

Vêtu d'une blouse blanche d'infirmier trop grande pour lui, le visage amaigri et portant encore de nombreuses traces de coups, Bartolomé se tenait debout devant mon lit.

– Bart ? Mais qu'est-ce que tu fais là ?

– Pas le temps de t'expliquer, bouge-toi ! dit-il en commençant à défaire les attaches qui me retenaient au lit.

– Ton père et les Autodafeurs sont à la chapelle, ils tiennent Néné, DeVergy et mon grand-père !

– Je sais. Mon père ne me fait plus confiance. Il m'a fait interner à la clinique il y a quinze jours pour que je sois « rééduqué » et que je ne puisse pas intervenir dans leurs plans. J'étais dans la salle de détente quand j'ai vu passer Le Négrier et que je l'ai entendu prononcer ton nom ; j'ai compris qu'il y avait un blème alors je l'ai suivi et je suis resté derrière la porte pendant qu'ils discutaient.

– Tu as tout entendu ?

– Oui, c'est bien pour ça que je te dis qu'il faut te presser. Ces types sont incapables de la moindre pitié, alors quand ils commencent à parler « d'accident », il faut les prendre très au sérieux.

Bartolomé réussit enfin à défaire mes liens et nous nous sommes précipités vers la sortie. Heureusement, c'était l'heure du changement d'équipe et il n'y avait personne dans les couloirs. Grâce à la carte magnétique qu'il avait piquée avec la blouse d'infirmier, il ne nous fallut pas plus de deux minutes pour rejoindre l'extérieur. Mais nous n'étions pas plus avancés.

– Et là, on fait quoi ? demandai-je à Bart en contemplant les kilomètres de champs qui nous entouraient.

– Laisse faire, pour une fois que mes frères m'auront appris quelque chose d'utile, me répondit-il en se dirigeant vers le parking.

– C'est-à-dire ?

– Crochetage de serrure, démarrage sans les clés et conduite d'un véhicule volé font partie de l'éducation Montagues figure-toi. Je te laisse choisir ton carrosse, ajouta-t-il en désignant les voitures bien garées.

Le plus sage aurait été de choisir un véhicule discret, mais quand je vis le Hummer étincelant de Bernard-Gui qui se garait au milieu du parking, la tentation fut trop forte.

– Qu'est-ce que tu en penses, demandai-je en indiquant mon choix d'un coup de menton.

– T'es cinglé, mon frère ne va pas te laisser faire.

– J'espère bien, ça me donnera une bonne excuse pour lui coller une raclée, lui glissai-je en lui faisant signe de rester caché.

À voir le sourire de Bartolomé, cette idée avait l'air de lui faire particulièrement plaisir et c'est avec une joie non dissimulée qu'il se glissa derrière une voiture pendant que je me dirigeai vers le Hummer de son frère.

– Salut BG, criai-je en surgissant tout à coup derrière lui.

Bernard-Gui, surpris, sursauta en laissant tomber ses clés que j'attrapai au vol.

– Mais… t'es pas enfermé, toi ? me dit-il en reculant prudemment d'un pas.

– À moins que tu aies des hallus, il faut bien croire que non, mon gros. Dis donc, ça ne te dérange pas si je t'emprunte ton tank, j'ai une petite course à faire ? demandai-je en jouant nonchalamment avec ses clés.

Il ne prit pas la peine de me répondre, mais la couleur blafarde de son visage répondit à sa place. Notre dernière rencontre lui avait certainement fait prendre conscience que j'étais d'un autre niveau que ses adversaires habituels et qu'à un contre un, ses chances de s'en tirer étaient minimes. Il était peut-être idiot, mais il savait reconnaître un danger quand il en voyait un.

Il hésitait. Ses yeux glissèrent de ses clés à mon plâtre et il dut se dire que j'étais suffisamment handicapé pour rétablir l'équilibre en sa faveur, car tout à coup ses poings se serrèrent et son visage s'éclaira d'un large sourire. J'espérai pour lui qu'il ne jouait pas au poker, car il dissimulait trop mal ses sentiments. Là par exemple, c'est comme s'il avait eu un panneau clignotant sur le front avec écrit en lettres lumineuses : « Je vais me le faire, ce connard. »

Visiblement, il n'avait toujours pas compris la leçon de l'autre jour : rester maître de ses émotions en toutes circonstances, principalement dans un combat. Sans grande surprise, il se jeta sur moi en beuglant et je n'eus qu'à me baisser en prenant appui sur le sol pour lui faucher les jambes et le coller par terre. En quelques secondes, j'étais assis sur son dos et en position de *bulldog choke*, et je l'étranglais par l'arrière en comprimant ses carotides. L'avantage de cette prise, c'est qu'elle est d'une efficacité redoutable, et il fallut moins de quelques secondes pour que BG tombe dans les pommes. S'il n'avait rien appris de notre dernier combat, moi en revanche, j'avais retenu la leçon : moins de blabla, plus d'efficacité !

À peine une minute plus tard, juste le temps pour nous de saucissonner BG et de le pousser dans un fossé, le moteur du monstre chromé rugissait et nous roulions à toute allure sur les routes de campagne en direction de La Commanderie.

Je croisai les doigts pour que nous n'arrivions pas trop tard.

journal de Césarine

J'ai marché beaucoup moins longtemps que je ne l'imaginais, probablement parce que le souterrain était en ligne droite alors qu'en forêt on n'arrête pas de faire des tours et des détours à cause des arbres.

Au bout du souterrain, il y avait une porte avec un gros loquet en fer, mais pas de serrure. J'ai soulevé la barre de métal, poussé la porte, et je suis entrée dans une pièce qui ressemblait beaucoup à celle que nous avions trouvée avec Sara sous la chapelle. Elle faisait environ quatre mètres sur trois avec un sol de terre battue, des murs en pierre ainsi qu'un plafond bas et voûté.

Tout était identique à la cave de la chapelle à l'exception d'une chose : l'escalier de cette pièce-ci aboutissait sur un plafond complètement bouché et elle n'était pas vide.

Le long des murs, bien alignés, il y avait tout un tas de coffres anciens cerclés de métal.

J'allais repartir pour prévenir les autres de ma découverte quand j'ai entendu une explosion et que la terre s'est mise à vibrer.

J'ai eu très peur.

J'ai imaginé que la terre se refermait sur moi et m'avalait, qu'elle s'infiltrait dans ma bouche, mes oreilles, mes narines et que je ne pouvais plus respirer.

J'ai pensé aux vers de terre qui allaient me manger, aux poules qui allaient manger les vers de terre, aux œufs qu'elles allaient pondre et à maman et Auguste qui me mangeraient en omelette.

Je ne voulais pas qu'ils deviennent cannibales par ma faute.

Alors j'ai hurlé de toutes mes forces et là, en quelques secondes, il s'est passé trois choses :

1 : De la lumière est apparue dans un trou au-dessus de ma tête.

2 : J'ai vu des hommes en noir avec des lampes torches qui me regardaient par le trou et papi attaché sur une chaise derrière ces hommes en noir.

3 : Papi m'a vue et m'a crié de m'enfuir.

Rien de tout ça n'était logique, mais quelque chose dans le ton de la voix de papi m'a fait comprendre que ce n'était pas le moment de chercher à analyser ce qui se passait.

Alors j'ai tourné les talons et claqué la porte si fort que le gros loquet s'est remis en place tout seul et je suis repartie en courant dans le souterrain.

là où j'hallucine

– Et tu comptes faire quoi une fois qu'on sera là-bas ?

J'aurais préféré que Bartolomé reste concentré sur la route, mais je devais avouer que sa question ne manquait pas de bon sens.

– J'en ai pas la moindre idée. Par contre, ce qui est sûr, c'est que si tu continues à conduire de cette manière, on n'arrivera jamais en un seul morceau à la chapelle, répondis-je en me cramponnant de toutes mes forces à la poignée.

Cela ne fit pas ralentir Bart. Il prenait visiblement trop de plaisir à massacrer la voiture de son frère pour envisager une seule seconde de freiner.

Nous étions sur une petite route de campagne en terre, plus prévue pour les vaches que pour les gros 4x4, et les branches d'arbres les plus basses frappaient la voiture sans discontinuer. Au rythme où nous allions, il n'y aurait bientôt plus un brin de peinture sur la carrosserie.

– Ralentis Bart, on est presque arrivé, il vaudrait mieux finir à pied si on ne veut pas se faire repérer.

– Tiens, cria-t-il en donnant un brusque coup de volant vers la gauche, comme ça la voiture sera bien cachée !

– Mais t'es dingue, ralentis, on va finir dans... LA MARE !

Le temps que je finisse ma phrase et nous avions atterri dans le trou boueux qui servait d'abreuvoir géant aux ruminants et le Hummer commençait à s'enfoncer. J'aurais dû avoir peur, ou être en colère, mais l'air réjoui de Bart associé au beuglement des vaches effrayées eut l'effet inverse et j'éclatai de rire.

L'avantage d'être en danger de mort quand tu as quatorze ans, c'est que tu trouves quand même le moyen de t'amuser. Mamie appelle ça « positiver » et nous répète sans arrêt que c'est excellent pour la santé.

Là, c'est sûr, on venait au moins de gagner deux ans d'espérance de vie.

N'empêche que ce n'était pas vraiment le moment.

Quinze minutes plus tard, allongés sous des buissons, nous observions la clairière de la chapelle et nous n'avions plus du tout envie de rire, car le spectacle était loin d'être réjouissant. Les Autodafeurs n'avaient pas lésiné sur les moyens pour rendre la chapelle plus accessible. Tandis que lors de notre dernier passage il fallait encore se frayer un chemin à travers la végétation pour accéder à la clairière, il y avait maintenant une route assez large pour laisser passer un gros 4x4. Je ne sais pas ce qu'ils avaient utilisé pour créer leur accès, mais ils n'y étaient pas allés de main morte ; les arbres et la végétation en avaient pris un sacré coup. Devant la chapelle, une petite dizaine d'hommes en noir cagoulés s'agitaient autour d'un fourgon et de deux gros Hummer noirs identiques à celui de BG.

– Comment on va faire pour s'approcher sans se faire remarquer ? murmura Bart.

– Aucune idée. Tu reconnais des gens ?

– Ouais, je pense que les deux mecs qui ont l'air de glander près du fourgon sont Guillaume et Conrad. Et quant au gros costaud qui vient d'entrer dans la chapelle, je suis quasi certain que c'est mon père.

– Et les autres ?

– Non, ils ne me disent rien… Mais avec les cagoules, c'est difficile à dire.

Il était impossible de tenter quoi que ce soit dans l'immédiat. En plus des deux frères et du père de Bart, il y avait encore trois hommes armés de fusils qui montaient la garde en patrouillant tandis que nous en avions vu quatre venir chercher une grosse caisse métallique et des outils dans un des Hummer avant de retourner à l'intérieur.

Dix hommes armés contre deux gamins… dont un avait le bras plâtré !

Même en supposant que nous arrivions à libérer papi, Néné et DeVergy, les forces étaient trop déséquilibrées.

Nous n'avions aucune chance.

– Laisse tomber Bart, ici c'est mort, mieux vaut rentrer à La Commanderie et prévenir ma mère et ma grand-mère.

– Et tu crois qu'elles vont faire quoi ? Les assommer à coup de rouleau à pâtisserie et les transpercer avec leurs aiguilles à tricoter ?

Autant de machisme au XXIe siècle me laissa sans voix.

– T'es complètement con ou quoi ? C'est sexiste ce que tu viens de dire !

– Ben quoi, c'est vrai, tu veux qu'elles fassent quoi contre des pistolets et des fusils ? argumenta Bart en me désignant les hommes en faction dans la clairière.

– J'en sais rien, mais vu ce que je découvre sur ma famille ces derniers temps, je m'attends à tout. De toute façon, tu as une meilleure idée ?

Il n'en avait pas et nous sommes repartis le plus discrètement possible vers La Commanderie.

La cour et la maison étaient désertes, mais la bibliothèque était dans un désordre indescriptible. Toutes les étagères du premier niveau avaient été soigneusement vidées et les livres, réunis en des dizaines de piles bien droites, trônaient au centre de la pièce. Même si ma sœur n'était nulle part en vue, ça sentait à plein nez le rangement à la Césarine.

– On est bien avancé, soupira Bart en se laissant tomber dans un fauteuil, y a personne ici !

À ce moment-là, les piles de livres se mirent à vibrer et nous entendîmes comme une explosion étouffée.

– Putain, c'est quoi ce truc ?! On dirait un tremblement de terre, cria Bart en se relevant d'un coup.

– Je crois que ça venait de là-bas, dis-je en désignant le coin de la cheminée.

Impossible de dire si les rayonnages avaient bougé mais un phénomène étrange se déroulait pourtant sous nos yeux : l'étagère fumait !

Non pas qu'elle soit en train de brûler, mais disons que c'était comme si des nuages de poussière s'infiltraient entre les planches ou glissaient sous les plinthes. Nous nous précipitâmes mais nous eûmes beau pousser, tirer, cogner, les rayonnages ne voulaient pas bouger d'un millimètre. Nous allions abandonner quand tout à coup un autre bruit étrange parvint jusqu'à nous. Un bruit que nous ne nous attendions pas du tout à entendre en provenance d'un meuble…

– Heuuu… c'est moi ou ton mur vient d'éternuer ? me demanda Bart.

– Je crois bien.

– Et c'est normal ?

– Pas vraiment.

– Heu… j'ai des hallus ou maintenant il se met à PARLER ?!

Effectivement, le mur parlait, même qu'il nous demandait « d'arrêter de brailler et d'appuyer à fond sur la croix pour la sortir de là avant que les messieurs en noir arrivent ».

– C'est ma sœur !

Depuis l'épisode de la chapelle, je savais à peu près quoi chercher. Il me fallut donc moins d'une minute pour délivrer Césarine qui sortit du mur en toussant. La pauvre était complètement débraillée, couverte de poussière et avait l'air complètement paniquée.

– Papi est au bout du souterrain avec des hommes en noir, me débita-t-elle sans reprendre son souffle.

Évidemment, c'est le moment que choisirent maman et mamie pour débarquer.

J'imagine que le spectacle que nous offrions, trois gamins sales au milieu d'une bibliothèque aux rayonnages vidés et devant un trou dans le mur qui crachait des nuages de poussière, avait de quoi surprendre. Ce qui explique certainement la réaction de maman.

– Auguste, Jean, Guy Mars !!! MAIS QU'EST-CE QUE TU FAIS LÀ ET QU'EST-CE QUE C'EST QUE CE BORDEL !?!

Oups... Titulature complète, plus cris, plus langage familier... Là, c'est sûr, maman n'était pas contente du tout.

Quand elle est dans cet état-là, ma mère est incapable de réfléchir correctement, elle est d'une mauvaise foi totale et ne sait que crier de plus en plus fort ; mieux valait m'adresser à mamie si je voulais avoir une chance de finir une phrase sans me faire engueuler.

– On est tombés dans un piège ! Papi, DeVergy et Néné sont dans la chapelle, prisonniers des Autodafeurs, expliquai-je le plus vite possible à ma grand-mère pendant que maman reprenait son souffle.

– Calme-toi, Auguste.

– Mais non, tu ne comprends pas ! Il faut se presser, ils vont les tuer et faire passer ça pour un accident !

– C'est vrai, madame, je les ai entendus moi aussi, lança Bart pour me soutenir.

– Et moi, j'ai vu papi au fond du souterrain avec des hommes en noir, conclut ma sœur.

Mamie et maman se jetèrent alors un regard que je ne suis pas près d'oublier, et incapable de décrire. A *posteriori*, le mieux que je puisse faire est de le qualifier de « déterminé » ; mais sur l'instant, j'avoue que voir les deux femmes qui avaient bercé mon enfance, lu des histoires, poussé sur la balançoire se transformer en machines de guerre avait quelque chose de particulièrement déstabilisant.

– Julie, déclenche le Code Noir et fonce à l'armurerie. Vous trois, vous vous asseyez et vous répondez à mes questions le plus précisément possible.

Sa voix, aussi tranchante qu'un fil d'acier, et son regard plus froid qu'un iceberg nous clouèrent sur nos sièges.

– Césarine, décris-moi ce souterrain, s'il te plaît.

– Vingt-six marches puis environ huit cent cinquante mètres de tunnel en ligne droite, une porte épaisse avec une grosse barre en métal.

– Et derrière ?

– Une petite pièce avec des murs de pierre, de la terre au sol, une voûte en pierre au plafond et sur les côtés des coffres anciens de toutes les tailles.

– Papi était dans cette pièce ?

– Non, je l'ai vu par un trou dans le plafond quand il y a eu l'explosion ; il était attaché sur une chaise et il y avait aussi deux hommes en noir.

– Ils t'ont vue ?

– Oui. Mais papi m'a crié de m'enfuir alors je suis sortie de la pièce, j'ai refermé la grosse porte derrière moi et j'ai couru dans le souterrain pour revenir ici.

– Tu as bien fait, ma chérie. Et vous les garçons, vous avez vu quoi exactement ?

– Les Autodafeurs ont dégagé un chemin pour pouvoir aller en voiture jusqu'à la chapelle ; quand on y est allé, il y avait deux gros Hummer et un fourgon noir, commençai-je.

– On a compté dix hommes, dont trois avec des armes, mais il y en a peut-être plus à l'intérieur, compléta Bart.

– Ton père est là-bas ?

– Oui, deux de mes frères aussi. Par contre, avec la correction qu'Auguste lui a flanquée, Bernard-Gui n'est pas près de revenir nous embêter, ajouta Bart avec un grand sourire.

– La police vient de nous appeler, elle est au courant pour votre évasion de la clinique et pour l'agression de ton frère. Ils ne vont pas tarder à arriver. Tu ne peux pas rester là, Bart, dit mamie en s'agenouillant à côté de lui, même si nous te sommes tous infiniment reconnaissants pour l'aide que tu nous apportes, c'est ta famille. Je refuse que tu sois obligé de leur faire du mal.

– Mais je les déteste ! Vous croyez qu'ils se gênent, eux, pour me frapper ? Vous ne savez pas ce qu'est ma vie avec eux ! se révolta Bart.

– Si mon grand, j'imagine très bien, mais tu nous aideras beaucoup plus s'ils ne savent pas que tu es de notre côté. Tu comprends ?

Mamie avait pris sa voix de psy, celle qui vous donne l'impression qu'une couverture bien chaude et rassurante se pose sur vos épaules et qu'il ne peut plus rien vous arriver de mal. Dans ces cas-là, c'est très dur de lutter contre sa volonté et Bart n'allait pas faire exception à la règle. Sans dire un mot, il s'avoua rapidement vaincu et acquiesça doucement.

– Pars vite d'ici mon grand, rentre chez toi et s'ils te questionnent, raconte qu'Auguste t'a forcé à le suivre.

D'un signe de tête, je fis comprendre à Bart que ce plan était le seul possible et mon pote se leva en soupirant pour s'en aller.

Quoi que soit cette histoire de « Code Noir », ça ne devait pas être trop long à mettre en place car maman était déjà de retour. Elle s'était changée et traînait derrière elle un sac visiblement très lourd qu'elle dézippa sous nos yeux avant de faire la distribution… Mais ce n'était pas vraiment des cadeaux de Noël !

– J'espère que tu n'as pas oublié tes leçons de tir, me dit-elle en me tendant un pistolet automatique. Tu lèves la sécurité, tu vises, tu tires douze coups, tu éjectes, tu recharges. Ils auront sûrement des gilets pare-balles alors vise la tête.

– Césarine, continua-t-elle en se tournant vers ma sœur, viens m'aider à piéger le tunnel.

Je dus me pincer pour me persuader que j'étais bien éveillé. Ma MÈRE, celle qui militait pour les droits de l'homme et pleurait devant *Desperate Housewives*, venait de me dire de « viser la tête » d'un type avec un pistolet automatique et de TIRER !? Et là, avec l'aide de ma petite sœur de sept ans, elle était en train de poser des EXPLOSIFS.

Même si, dans un coin de mon esprit, les raisons qui avaient poussé mes parents à me faire pratiquer des sports de combat et du tir de compétition commençaient à devenir plus claires, voir ma sœur manipuler des pains de plastique comme si c'était de la pâte à modeler était une vision surréaliste.

Mais tout ça n'était rien à côté du discours dont nous gratifia ma grand-mère.

– Bon, comme ils ont vu ta sœur, ils vont s'attendre à ce qu'on arrive par le souterrain ; c'est pour ça qu'ils ne sont pas encore ici, ils nous attendent dans le noir ;

on va donc les prendre à revers en passant par la forêt. Il faut les empêcher à tout prix d'emporter le contenu de la pièce que Césarine a découverte.

– Et les autres, comment on va faire pour les délivrer ?

– On verra sur place si c'est possible, répondit-elle en détournant les yeux.

Je n'en crus pas mes oreilles.

– Comment ça « si c'est possible » ? Tu préfères sauver tes fichues vieilleries plutôt que papi ?

Les épaules de mamie s'affaissèrent brièvement et il lui fallut quelques secondes avant de redresser la tête pour me répondre, mais lorsqu'elle reprit enfin la parole, sa voix ne tremblait pas.

– Ce n'est pas un choix, Auguste ; notre objectif est d'empêcher les Autodafeurs de s'emparer de ce trésor… quoi qu'il en coûte.

– Mais papi leur a bien donné toutes les infos qu'ils voulaient quand ils l'ont menacé de me faire du mal…

– Eh bien, je suis désolé mon grand, mais il n'aurait pas dû. Pour te sauver, TOI, il a mis la vie de milliers de personnes en danger et je suis certaine qu'en ce moment, il s'en veut énormément.

Maman avait fini de piéger l'accès du souterrain. Avec son gilet pare-balles passé sur son tee-shirt noir et les multiples armes et munitions qui dépassaient de son pantalon multipoches, elle ressemblait plus à une version moins sexy de Lara Croft qu'à une prof d'histoire de l'Éducation nationale. J'avais du mal à reconnaître ma mère dans cette copie de Terminator épaisse comme un moustique, mais aussi armée qu'un porte-avions ! Accompagnée de Césarine, elle s'arrêta à notre hauteur et me serra dans ses bras de toutes ses forces.

À quatorze ans, se faire étreindre par sa mère est quelque chose de bizarre. Je déteste quand elle fait ça ; probablement parce que ça me donne l'impression d'être un petit garçon alors que je suis plus grand qu'elle… Mais là, il faut avouer que je serais volontiers resté des heures dans ses bras.

Ses cheveux sentaient la camomille et l'espèce de crème au monoï qu'elle se met sur les pointes pour qu'elles ne sèchent pas. Je refermai mes bras autour d'elle et respirai son parfum à pleins poumons, mais cette impression de bien-être fut vite dissipée lorsque ma main heurta le pistolet suspendu à sa ceinture.

– Je t'aime mon grand, me dit-elle en prenant mon visage entre ses mains. J'ai eu tort d'obliger ton père à te tenir éloigné de la Confrérie. J'avais peur pour toi, mais c'était une erreur. Pardonne-moi. Dorénavant je te promets d'avoir confiance en toi.

Dans les films, c'est le moment où le héros sort une super phrase, sauf que moi, quand je suis déconcerté, je dis une bêtise, et là, j'étais super, super déconcerté, et la seule chose que je trouvai à lui répondre fut :

– Ça veut dire que je vais enfin pouvoir avoir un téléphone portable ?

– Si on est encore vivants à la fin de la journée, ça devrait pouvoir s'arranger, me répondit ma mère en plaisantant.

Enfin, sur le moment, j'espérais fortement qu'elle plaisantait…

journal de Césarine

Maman m'a déposée devant la maison de Sara en me disant d'y rester le temps qu'elle aille chercher papi.

Je n'étais pas d'accord.

Je voulais rester avec elle, mais elle n'a pas voulu.

Elle a dit que c'était « trop dangereux ».

J'ai insisté.

Alors elle m'a dit des choses méchantes.

Que j'étais un « poids » et que j'allais la « gêner ».

Alors je suis allée chez Sara, mais je ne voulais parler à personne à cause des vilains mots de maman et je me suis cachée dans un placard.

Je me suis balancée et j'ai compté longtemps. Quand je suis arrivée à deux mille deux cent vingt-deux, j'étais plus calme et j'ai compris que maman ne pensait pas ce qu'elle disait.

D'abord parce que je ne pèse que 35 kilos et ne peux donc pas être « un poids ».

En plus parce que « gêner » c'est quand on « dérange », ou quand on met les autres « mal à l'aise », et que ça, c'est ce que ressentent les gens qui ne me connaissent pas quand ils me voient pour la première fois ; alors je sais que je ne peux pas gêner maman parce qu'elle me connaît depuis toujours.

D'entendre maman dire ces mots-là en parlant de moi, ça m'a fait mal.

Pour de vrai.

Et puis j'ai encore réfléchi et j'ai repensé aux exercices que les éducateurs nous avaient fait faire sur « l'expression des sentiments ». Ils nous avaient montré plein de photos de gens et nous devions deviner leurs sentiments juste en examinant leurs mouvements ou leur visage ; les éducateurs appellent ça le « langage corporel », et même qu'il paraît que ce langage ne peut pas mentir.

Ça m'a rassurée parce que si les mots de maman étaient méchants, son « langage corporel » disait tout à fait autre chose : elle ne m'avait pas regardée dans les yeux (signe de mensonge), ses épaules étaient basses (signe de honte) et je sentais qu'elle avait envie de pleurer (signe de tristesse).

Je pense que ça signifie qu'elle ne voulait pas vraiment dire ces mots-là, mais qu'elle s'y était sentie obligée pour me protéger.

Elle veut que je reste avec Sara pour qu'il ne m'arrive rien.

Ça veut dire qu'elle m'aime et que ce qu'elle m'a dit n'était pas méchant pour de vrai.

Alors je suis sortie du placard pour aller jouer avec Sara.

là où j'ai failli mourir

J'étais de retour dans la clairière, allongé sous les mêmes buissons qu'un peu plus tôt, sauf que cette fois-ci, c'était ma grand-mère qui me servait de partenaire et que je devais me pincer toutes les deux secondes pour m'assurer que je n'étais pas en train de rêver.

Revêtue d'une combinaison noire moulante et multipoches remplie d'armes, le visage tendu et le regard froid, mamie détaillait son plan à ma mère par le biais d'un minuscule casque radio caché sous son bonnet noir. Comme je n'étais pas aussi bien équipé, je n'entendais que la moitié de la conversation et j'avais du mal à suivre ; mais le peu que j'en entendis ne me plut pas du tout.

– Il y a quatre hommes armés en extérieur, probablement cinq ou six à l'intérieur, disait mamie.

– … (Réponse inaudible de ma mère)

– Non, la clairière est trop petite pour que nous puissions passer de jour sans nous faire repérer.

– …

– Impossible d'attendre la nuit, ils risquent de partir avant.

– …

– Notre seule chance, c'est de passer en force et de les surprendre.

– …

– OK ! Laisse-moi cinq minutes.

Mamie se tourna alors vers moi pour me faire part de leur plan.

C'était pire que ce que je pensais.

En gros, maman allait débouler en voiture et tout défoncer sur son passage pour faire diversion pendant que mamie tirerait dans le tas pour attirer un maximum d'hommes à l'extérieur.

Mon rôle était de profiter de ce foutoir pour me glisser discrètement dans la chapelle et délivrer les garçons.

Ben voyons !

C'est sûr que, dit comme ça, ça avait l'air simple… Sauf que je n'avais pas pris option « héros » au brevet et qu'il n'y avait pas écrit Bruce Willis sur mon front !

J'aurais bien aimé dire non.

J'aurais dû dire non.

Sauf que le temps que je réalise ce qui allait se passer, tout avait déjà commencé.

La Toyota Yaris hybride de maman, dont je n'imaginais pas qu'elle puisse dépasser les quatre-vingt-dix à l'heure, bondit en rugissant dans la clairière avant de s'encastrer violemment dans un des Hummer. Les frères de Bart, toujours aussi courageux, s'enfuirent immédiatement dans les bois, mais les deux autres types n'eurent pas la même chance. Percutés par la voiture de maman, ils n'eurent pas le temps de se relever que déjà mamie arrivait de l'autre côté et en achevait un d'une manchette sur la nuque, tandis que maman éliminait le deuxième d'une balle en plein front.

Bizarrement, je ne paniquais pas. Je regardais la scène de manière détachée comme si rien ne pouvait plus me surprendre et qu'un sang-froid nouveau coulait dans mes veines.

Les années de préparation auxquelles ma famille m'avait discrètement astreint devaient porter leurs fruits car, dès le début de l'action, j'eus l'impression de me mettre à fonctionner en pilote automatique ; comme si j'avais fait ça toute ma vie.

Je détachai chaque mouvement de manière clinique et réagis efficacement sans avoir besoin de réfléchir.

Aujourd'hui, je ne revois la scène que par arrêt sur images :

Trois hommes se précipitent hors de la chapelle.

Je les laisse passer et je fonce à l'intérieur.

Je vois deux hommes en noir.

Le premier a son arme à la main ; c'est une cible prioritaire. Il se retourne et j'aperçois ses yeux et ses pupilles qui se dilatent au moment où je lui tire en pleine poitrine. La détonation explose comme le tonnerre dans l'espace confiné de la petite chapelle et l'homme tombe au sol comme une poupée molle. En un centième de seconde, je réalise que c'est MOI qui ai fait ça et lorsque l'autre homme sort son arme, je suis incapable de tirer. Alors je frappe. Fort. Coup de pied retourné sur le bras qui tient l'arme.

J'entends son bras craquer et son pistolet tomber, mais il me frappe à son tour. De toutes ses forces. En plein sur mon bras cassé.

La douleur est si intense que je lâche mon arme. Nous sommes à égalité, mais je ne me détourne pas de mon objectif.

Je dois gagner.

Nous nous jetons l'un sur l'autre.

Je sens sa sueur. Il dégage une odeur de peur.

Il est beaucoup plus grand, beaucoup plus fort… mais il a peur.

Pas moi, parce que je n'en ai pas le droit.

Je frappe de mon poing gauche et le cueille au menton. J'encaisse un direct à l'estomac, mais profite de son élan pour le faire basculer au sol. Mon bras cassé m'empêche de l'immobiliser alors je frappe encore. De toutes mes forces. Jusqu'à ce que mon poing soit gluant de sang et que je voie ses yeux rouler en arrière.

J'ai gagné mais je me sens mal et je vomis mes tripes sur les dalles de la chapelle.

Immédiatement après l'avoir mis K.-O., j'ai ramassé mon arme et vérifié qu'il ne restait aucun Autodafeur pour me surprendre. L'homme sur lequel j'avais tiré était vivant ; j'avais été incapable de lui tirer dans la tête comme me l'avait demandé maman. Ma balle n'avait fait que s'enfoncer profondément dans son gilet pare-balles, mais à cette distance, ça avait été suffisant pour le mettre hors jeu. La dalle ouvrant sur l'escalier de la cave était ouverte ; je me précipitai et découvris papi, Néné et DeVergy. Attachés sur des chaises au bord d'un grand trou, ils étaient en mauvais état mais vivants. Ils étaient seuls, mais si la théorie de mamie était juste, il devait y avoir des Autodafeurs dans le souterrain et il était hors de question que je leur laisse une chance de nous prendre à revers. Je retirai précipitamment l'échelle qu'ils avaient installée pour pouvoir descendre dans ce que je supposai être la pièce secrète que nous avait décrite Césarine, avant de retourner détacher Néné qui avait l'air d'être le moins mal en point des trois.

– Content de te voir mon pote, me dit-il.

Je n'avais pas vraiment le temps de discuter.

– Écoute, Néné, il faut que tu détaches papi et le prof pendant que je retourne aider les autres dehors.

– Quels autres ?

– Ma mère et ma grand-mère.

– Tu déconnes ?!

– J'aimerais bien.

En finissant de détacher Néné, je jetai un coup d'œil aux deux autres. Le spectacle n'était pas beau à voir. Contrairement à ce qu'avait dit Le Négrier, ils avaient dû leur injecter quelque chose car ils semblaient un peu dans les vapes. DeVergy, les yeux fermés, secouait la tête de droite à gauche en essayant visiblement de lutter contre les effets de la drogue ; quant à papi, il avait les yeux ouverts mais vitreux et je n'étais même pas sûr qu'il me reconnaisse.

– Papi. Ça va ?

– Auguste ? répondit-il en clignant des paupières d'un air totalement hagard.

– Papi, secoue-toi, faut pas traîner. Néné va vous détacher mais ensuite il faudra vous occuper de refermer la dalle pivotante pour bloquer complètement l'accès au souterrain et attacher les deux gugusses que j'ai mis K.-O. dans la chapelle.

DeVergy commençait à émerger et me fit signe qu'il avait compris, mais mon grand-père continuait à me regarder comme si j'étais un fantôme.

– Auguste ? C'est bien toi mon grand, tu es vivant… Ils m'avaient dit que…

– On s'en fiche de ce qu'ils t'ont dit, papi. Je suis là maintenant, mais faut vraiment que tu te secoues, maman et mamie sont dehors et…

C'est à ce moment-là que je me suis rendu compte que plus un seul bruit de lutte ne nous parvenait de l'extérieur à l'exception d'un cri que j'aurais reconnu entre mille… sauf que d'habitude je l'entendais quand je n'avais pas rangé ma chambre !

– AUGUSTE… ATTENTION !!!

Je me précipitai pour découvrir une scène de cauchemar. Maman, agenouillée, tenait entre ses bras une petite forme aux cheveux blancs et la berçait en pleurant tandis qu'un homme en noir, debout derrière elle, pointait son arme sur sa tête.

– Jette ton arme et avance, dit l'homme avec un fort accent américain tout en saisissant à pleine main la chevelure de ma mère.

Il n'y avait pas d'échappatoire.

J'avançai et jetai mon arme sans le quitter des yeux une seconde.

– La partie est finie pour les Mars. Vous auriez mieux fait de rester planqués à Paris, ajouta-t-il en secouant la tête. Je suis désolé d'en arriver là, mais les règles ont changé. Le Grand Jeu est relancé et on ne fait plus de prisonniers.

Tout en prononçant cette dernière phrase, il détourna lentement son arme de la tête de ma mère pour la pointer sur moi.

Je vis distinctement l'œil noir du canon qui me fixait tandis que son doigt se crispait sur la détente.

Certains disent que lorsqu'on va mourir, on voit sa vie défiler devant soi. Ben moi, la seule chose à laquelle j'ai pensé, c'est que j'aurais dû embrasser Isabelle quand j'en avais encore la possibilité.

C'est le piège de ma mère qui nous sauva la vie. Au moment où le doigt de mon bourreau allait presser la détente, une explosion secoua la forêt. Maman et Césarine n'y étaient visiblement pas allées de main morte avec leurs pains de plastique et il ne devait pas rester grand-chose du type qui avait essayé de forcer l'accès souterrain de la bibliothèque (ni même du souterrain d'ailleurs).

L'homme qui me tenait en joue fut pris par surprise et son attention détournée suffisamment longtemps pour que ma mère lui saisisse une jambe et envoie la balle qu'il me destinait se perdre dans les branches.

Je réagis immédiatement en me précipitant sur lui. Mais il était déjà trop tard.

La crosse de son arme s'était abattue sur la tempe de ma mère et je me retrouvai à nouveau pris dans sa ligne de tir.

– Décidément, le gros Frenchie avait raison quand il disait que vous étiez difficiles à tuer dans cette famille, me lança-t-il d'un air agacé.

– Pourtant, ce n'est pas faute d'y mettre les moyens, ironisai-je en désignant le Hummer et le matériel répandu dans la clairière. Une dizaine d'hommes surarmés contre un gamin et une vieille dame. Vous êtes sûr que vous ne voulez pas un hélicoptère en plus ?

– *Shut up* Mars ! cria-t-il en avançant d'un pas vers moi.

Et avant que j'aie le temps de répondre... Son doigt pressa la détente.

– Nooooon...

Le cri résonna à mes oreilles au moment même où un choc violent faisait basculer ma tête sur le côté.

Puis tout devint noir... et je n'entendis plus rien.

échec et mat

– Je suis mort ?

Rien que le fait de le penser aurait dû me prouver, selon toute logique, que ce n'était pas le cas ; mais les images que j'entrapercevais en regardant autour de moi m'incitaient à la plus grande prudence.

Déjà, tout était blanc. Pas « blanc », mais plutôt BLANC... blanc de blanc, limite insoutenable. Le genre de blanc tellement blanc qu'il vous pousse à fermer les yeux ou, tout au moins, à ne les entrouvrir qu'avec parcimonie.

Bref, la nuance de blanc luminescent qu'on pourrait s'attendre à trouver au paradis.

À peine mes neurones formulèrent cette pensée que l'obsédante question revint me hanter : « Je suis mort ? »

Comme mes yeux ne m'étaient d'aucune aide, je décidai de me fier à mes autres sens et respirai à pleins poumons pour détecter une éventuelle odeur de soufre ou de sainteté ; mais là encore le test ne fut pas concluant ; ça sentait juste le propre.

Le très, très propre, genre aseptisé au dernier degré.

Je tentai alors de caresser la surface sur laquelle j'étais étendu, histoire de vérifier que je n'étais pas allongé sur un nuage, mais mes mains refusèrent de me répondre ; ce qui était logique vu qu'elles étaient attachées par des menottes à des barreaux métalliques… ce qui pouvait être considéré comme une bonne nouvelle vu que je doutais franchement que ce genre de matériel soit d'usage outre-monde !

– Panique pas, mec, me dit une voix que je reconnus aussitôt.

– Néné ! Toi aussi t'es mort ?

– Sois pas con, me répondit-il tandis que je récupérai peu à peu l'usage de mes yeux.

– On est où là ? Et qu'est-ce qu'il s'est passé ?

Je distinguai enfin mon pote ; il était assis à ma gauche sur un horrible fauteuil en skaï, mais ce fut quelqu'un d'autre qui me répondit.

– Pour ce qui est du « où », je peux vous répondre, monsieur Mars : vous êtes à l'hôpital, dit une voix sur ma droite. En revanche, pour ce qui est de votre deuxième question, j'avoue que je serais justement très curieux de le savoir.

Debout de l'autre côté de mon lit se tenait un grand type mal sapé, mal coiffé, mal rasé et qui n'avait pas l'air particulièrement heureux d'être là. Je connaissais le bonhomme, c'était l'inspecteur qui m'avait interrogé suite à l'incendie de la remise et qui était aussi dans la classe de Sainte-Catherine quand je m'étais réveillé devant le tas de livres incendiés avec un briquet à la main.

Ça expliquait sans doute sa tête… Il devait en avoir un peu marre de me voir !

Le mieux pour moi, c'était encore de jouer la carte de l'amnésie tant que je n'en saurais pas plus.

– J'ai mal à la tête, dis-je en prenant un ton d'autant plus convaincu que c'était tout à fait vrai.

– Le contraire serait étonnant, les médecins ont dû vous recoudre pour une plaie importante, soi-disant provoquée par une branche d'arbre, mais que le médecin légiste décrit comme une blessure par balle. Alors ? Vous en dites quoi ?

– Je ne sais pas, je ne me souviens de rien.

– Comme c'est pratique... En plus, ce doit être contagieux parce que votre ami ici présent semble atteint du même syndrome. Qu'en dites-vous monsieur Clément, la mémoire ne vous est toujours pas revenue ?

– J'ai pas perdu la mémoire, m'sieur.

– Ah non ?

– Non, c'est juste que j'ai pas la réponse à vos questions, dit Néné en haussant les épaules.

À voir l'air agacé de l'inspecteur, ce n'était pas la première fois qu'ils avaient cette conversation.

– Et je peux savoir pourquoi j'ai des menottes ? demandai-je en agitant les mains.

– Ces crétins pensent que c'est toi qui as mis le feu à La Commanderie, dit Néné en devançant l'inspecteur.

– Comment ça « le feu à La Commanderie » ? La maison a brûlé ?

Je devais vraiment avoir l'air de tomber des nues car le regard de l'inspecteur s'adoucit tout à coup.

– La propriété de vos grands-parents a en partie disparu.

– Et comme j'ai déjà été suspecté dans deux incendies, vous en avez logiquement conclu que j'étais coupable ! Bravo pour la présomption d'innocence, me fâchai-je tout à coup. Et depuis quand on menotte un mineur pour une simple suspicion ?

– Depuis qu'il s'est échappé d'une clinique, qu'il a volé et détruit un véhicule, que sa mère est en réanimation et que ses grands-parents ont disparu, m'asséna le flic en me regardant dans les yeux.

Je soutins son regard, mais j'accusai le coup.

J'aurais volontiers demandé où était DeVergy, mais si personne ne l'avait cité, autant le laisser hors de cette histoire et je préférai demander à Néné ce qui était arrivé à ma mère.

– Elle était en dessous de l'arbre quand la branche sur laquelle tu étais assis s'est brisée et tu lui es tombé dessus. Le médecin a dit qu'elle avait un traumatisme crânien, m'expliqua Néné en me faisant les gros yeux.

C'était n'importe quoi, j'avais beau être sonné, je me souvenais parfaitement du type en noir avec l'accent américain qui avait frappé maman à la tempe avant de me tirer dessus, mais je compris que Néné tentait de me faire passer un message et je décidai d'aller dans son sens.

– Oui, l'arbre, ça me revient. Et donc, la branche s'est cassée, je suis tombé et…

Je lui lançai des regards désespérés pour qu'il comprenne que j'avais besoin d'en savoir plus, et heureusement, il s'empressa de finir ma phrase.

– … et donc ta mère s'est précipitée pour te réceptionner, mais elle s'est pris un coup sur la tête. Heureusement que j'étais là pour appeler les secours, conclut mon pote avant que l'inspecteur puisse l'arrêter.

Le pauvre type avait l'air furieux, il venait de comprendre qu'il s'était fait rouler dans la farine et qu'il ne tirerait plus rien de nous. Il quitta la chambre en claquant la porte non sans avoir ajouté que tant que ma mère ne serait pas réveillée ou qu'un de mes grands-parents ne serait pas reparu, je resterais sous la garde de l'hôpital.

Dès son départ, je me tournai vers Néné pour essayer d'en savoir plus, mais celui-ci mit un doigt sur ses lèvres en secouant la tête avant de sortir une tablette tactile de sa poche et d'y pianoter. Je l'avais toujours traité de *geek*, mais je ne savais pas à quel point j'étais encore loin de la réalité. En moins de dix secondes, il m'avait tapé un texte qui disait ceci :

« DV panse Qe nou soM sur écoute, alor ne di rien d'otre que la version ofisieL : Nou soM alé dan la foré avec ta meR pour nou balader mai tu te souvien pas ou exactement, tu a grimP sur l'arbre pour voir un ni d'oisO, et tu é tomB sur elle. »

N'ayant pas de téléphone, j'ai eu un peu de mal à comprendre son langage mi-phonétique, mi-n'importe quoi, mais deux choses étaient claires :

J'étais sous surveillance et Néné ne remporterait jamais un grand prix d'orthographe !

« Comment ça se fait que les secours n'ont pas vu le carnage dans la clairière ? »

« Car on vous a déplaC avant de les apelé »

« Et où sont mes grands-parents ? »

« BléC »

« Pourquoi ils ne sont pas à l'hôpital ? »

« Blessure par balle, trop de questions pour l'hosto a dit DV »

« C'est grave ? »

Néné ne répondit pas assez vite et son regard fuyait le mien lorsqu'il me tendit la tablette.

« Je C pa »

« Menteur »

Néné refusait de répondre et gardait obstinément les yeux baissés.

« Qu'est-ce qui s'est passé en vrai ? »

« Quan on est sorti de la chapL un type en noir alait te tirer dessus alor ton grand-père C jeT sur toi ; coup de po pour toi DV été just deriére et a pu LIminé le type avant qu'il finisse le boulO »

« LIminé ? Qu'est-ce que tu veux dire ? »

« éliminé = tué, balle dans la tête, pan d'1 coup »

« Et mon grand-père ? »

Toujours pas de réponse… Il avait de la chance que je sois menotté.

C'est ce moment que choisit l'inspecteur pour se précipiter dans la chambre et se jeter sur nous. Ça commençait à devenir une habitude !

– Donnez-moi cette tablette, dit-il en arrachant celle-ci des mains de Néné.

– Pas la peine de vous énerver, m'sieur.

– Tu vois Néné, quand je te dis que c'est pas bon de trop jouer aux jeux vidéo et que ça peut rendre accro…

– Ouais, la vache, t'as raison, c'est impressionnant !

L'inspecteur tripotait la tablette dans tous les sens d'un air excédé.

– Vous écriviez quoi là ? Où sont vos messages ?

Visiblement, nous n'étions pas QUE écoutés, nous étions aussi observés…

– Quels messages, m'sieur, on jouait à *Clash of Clan*. Vous aimez ? balança Néné en prenant l'air innocent.

– Me prenez pas pour un con, j'ai bien vu que vous écriviez.

Malheureusement pour lui, rien n'apparaissait sur la tablette. Mon pote n'était peut-être pas bon en orthographe, mais pour ce qui était de faire disparaître un texte, c'était un dieu du clavier.

Vexé, le flic est parti en nous confisquant la tablette, réduisant à néant toute nos possibilités de discussion, et Néné a fini par le suivre en me promettant de revenir le lendemain.

Je n'avais plus rien à faire et j'étais mort de fatigue, aussi je replongeai dans un sommeil agité.

J'étais de retour dans l'allée bordée d'arbres-livres de mes rêves précédents.

Sauf que ce n'était plus vraiment la même allée.

Il n'y avait plus de fumée, plus de vent, tout était calme.

Mon père était de retour, mais il avait troqué sa tenue de jardinier contre une tenue de combat noire, la même que celle que j'avais vue sur mamie et maman deux jours plus tôt. Il ne portait plus ses lunettes et son visage était plus jeune. D'un geste, il me désigna les branches des arbres et je remarquai enfin ce qui faisait que le paysage avait l'air si différent : il n'y avait plus un seul livre !

– Tu as échoué, Auguste.

J'essayai de lui répondre mais, comme dans mes rêves précédents, j'étais incapable de prononcer un seul mot.

– Tu n'as pas su sauver notre mémoire. Tu devais être un Gardien. Je comptais sur toi pour me remplacer et tu as échoué.

C'était affreusement injuste et ma détresse devait se lire sur mon visage car mon père adoucit tout à coup son discours.

– Tu ne t'en es pas encore rendu compte, mais nous avons tout fait pour que tu sois préparé à affronter les épreuves qui t'attendent. Tu dois avoir confiance en tes capacités. Tu es fort. Il faut que tu te souviennes, Auguste. Il faut que tu te souviennes du Livre.

C'est alors qu'une deuxième personne, elle aussi habillée de noir, s'avança à côté de mon père. En découvrant son visage, la mémoire me revint comme un flash et, avec elle, la vérité que je refusais absolument d'affronter.

Je suis debout devant l'homme en noir qui me tient en joue, l'œil noir du canon me fixe, son doigt presse la détente, la balle s'élance vers ma tête, quelqu'un hurle, me pousse, la balle frôle mon cuir chevelu et termine sa course dans le front de mon grand-père. La dernière chose que je vois en m'écroulant, c'est son regard surpris et l'étincelle de vie qui s'efface doucement du fond de ses yeux bleus.

– Tu es bien plus qu'un Gardien, Auguste ; tu es aussi un Traqueur et tu retrouveras ce qui nous a été volé, me dit le grand-père de mon rêve.

– Tu dois chercher la pièce maîtresse du Grand Jeu, ajouta mon père en reprenant les mots prononcés par l'homme à l'accent américain qui avait tenté de me tuer.

Les larmes me brouillèrent la vue et je sentis le paysage s'assombrir, mais tandis que je replongeais dans un sommeil sans rêves, j'eus encore le temps d'entendre le dernier conseil de mon père :

« Souviens-toi du Livre, Auguste, c'est ton héritage. Trouve-le. »

journal de Césarine

Papi et mamie sont morts.

Je le sais parce que le prof d'Auguste m'a emmenée voir où il les avait enterrés. Ils sont tous les deux sous la pièce secrète de la chapelle.

Je pense que papi et mamie seraient contents car la forêt, c'est bien mieux qu'un cimetière. Là, au moins, il n'y a pas tout un tas de morts qu'ils ne connaissent pas autour d'eux et les vers de terre qui vont les manger ne seront là que pour eux.

En plus, comme il n'y a pas de poules dans la forêt, je ne risque pas d'en manger une qui a mangé un ver de terre qui a grignoté papi et mamie. C'est une bonne chose.

Quand le prof de Gus est venu me chercher chez Sara, j'y étais depuis deux jours et je savais qu'il s'était passé quelque chose de grave car Mamina était venue me voir et qu'elle voulait m'emmener avec elle. Sauf qu'elle n'a pas voulu me dire pourquoi, alors j'ai refusé.

Le prof de Gus aussi, je ne voulais pas partir avec lui. Mais lui c'était parce qu'il n'était pas sur ma liste 👍.

La liste 👍, c'est celle des gens à qui je peux faire confiance. Normalement, si quelqu'un qui n'est pas sur la liste 👍 veut me toucher ou m'emmener avec lui, j'ai le droit de crier très fort. Mais là, je ne l'ai pas fait parce que c'était tout de même quelqu'un que j'avais déjà vu à La Commanderie et que je savais que c'était un ami de papi et mamie.

Il n'empêche qu'il n'était pas sur ma liste 👍, donc je ne pouvais pas partir avec lui.

Sauf s'il connaissait le mot de passe.

Le mot de passe, c'était une idée de papa et maman pour les jours où personne de la liste 👍 ne pouvait passer me chercher à l'institut.

C'est déjà arrivé deux fois.

La première, c'était le jour où papa était en voyage et où maman avait dû aller chercher mon frère à l'école parce qu'il s'était blessé en jouant au basket.

La deuxième fois, c'était quand maman était en voyage scolaire et que papa m'avait oubliée.

Enfin, il ne m'avait pas vraiment oubliée parce que ça n'est pas possible, sauf si tu as la même maladie que la mamie de Sara qui ne se rappelle même pas comment elle s'appelle. Papa, lui, avait juste oublié de venir me chercher.

Maman n'avait pas été contente et moi non plus parce qu'il avait fallu que je parte avec quelqu'un qui n'était pas sur ma liste 👍, et même si cette dame était gentille et connaissait le mot de passe, ce n'était pas comme d'habitude et moi je n'aime pas quand ce n'est pas comme d'habitude.

Là, le prof de Gus connaissait le mot de passe, donc j'ai compris qu'il y avait un problème parce que ce n'était pas comme d'habitude. Cette fois-ci, j'étais certaine que ce n'était pas à cause de papa, vu qu'il est mort, mais forcément à cause de maman ou de Gus qui se conduit souvent comme un idiot.

J'ai demandé au prof de mon frère comment il connaissait le mot de passe et pourquoi c'était lui qui venait me chercher et pas maman ou papi ou mamie ou même Auguste, et là il a fait un truc que les adultes font rarement : il m'a dit la vérité. Que papi et mamie étaient morts, que maman était dans le coma et que mon frère avait été arrêté par la police.

DeVergy a ajouté que tant que maman n'irait pas mieux, il avait été désigné comme tuteur légal par le juge grâce à un papier que papa et maman avaient signé chez le notaire à la naissance de Gus.

Cette vérité, ajoutée au fait qu'il connaissait le mot de passe, m'a convaincue que je pouvais lui faire confiance, alors j'ai dit au revoir à Sara et je suis allée habiter avec lui dans sa maison.

Je pense que ça ne va pas faire plaisir à Mamina.

la fin n'est qu'un commencement

Voilà comment je me suis retrouvé avec un bracelet électronique rivé à la cheville droite et avec une réputation de dangereux délinquant.

Les Autodafeurs avaient si bien tendu leur piège qu'il m'était impossible de rétablir la vérité sans trahir mon père, mon grand-père et tous ceux qui les avaient précédés.

De toute manière, j'ai vite compris que dénoncer les Montagues n'aurait servi à rien ; ils avaient pris les devants et avaient porté plainte contre moi pour vol et agression. Depuis, Isabelle refuse de m'adresser la parole et BG parade à son bras dans les couloirs. À chaque fois que je les croise, ça me déchire le cœur, mais je ne peux rien y faire.

J'ai donc choisi de me taire et de porter le chapeau. De toute manière, je me sens tellement coupable de ne pas avoir réussi à empêcher le vol des archives de Sainte-Catherine et la mort de mes grands-parents qu'être jugé et condamné m'a presque fait du bien.

Pour l'incendie du collège, l'agression de Bernard-Gui et le vol de son Hummer, j'ai écopé d'une peine de deux ans avec sursis, plus trois mois de mise à l'épreuve avec une assignation à résidence. Là où le juge a été bien embêté, c'est que, l'incendie de La Commanderie m'ayant rendu momentanément SDF, je n'avais plus de résidence où être assigné. L'explosion du souterrain avait entraîné l'explosion des conduites de gaz, ce qui expliquait que les dégâts aient été si importants et que l'aile de la cuisine ait quasiment disparu.

Le point positif, c'est que grâce à cette explosion de gaz, les pompiers ont conclu à un accident et je n'ai pas été accusé. N'empêche que La Commanderie est inhabitable pour le moment et j'ai cru un instant que j'allais me retrouver en foyer pour jeunes délinquants.

Heureusement, mes parents avaient tout prévu car en plus d'être mon parrain j'ai découvert que Marc DeVergy était aussi notre tuteur légal et, malgré tous les efforts de Mamina pour faire changer le juge d'avis, j'habite chez lui avec ma sœur.

J'ai beaucoup discuté avec DeVergy, d'ailleurs maintenant je l'appelle Marc. Il ne remplacera jamais mon père, mais c'est un type bien et je l'apprécie chaque jour davantage.

Marc m'a confirmé ce que je savais déjà ; mes deux grands-parents ont été tués par les Autodafeurs. Papi a pris dans la tête la balle qui m'était destinée et mamie a succombé à ses blessures à peine quelques heures après. De toute façon, je sais bien que ces deux-là n'auraient jamais pu vivre l'un sans l'autre.

Comme j'étais dans les vapes, je n'ai pas assisté à la fin de la confrontation, mais grâce à Marc et Néné, j'ai pu en reconstituer les grandes lignes.

Pendant que je me précipitais dans la clairière pour venir en aide à ma mère, Néné a détaché Marc et papi. Marc était encore dans le cirage, mais il a immédiatement récupéré le pistolet de l'Autodafeur sur lequel j'avais tiré, avant de sortir derrière mon grand-père. Il est arrivé trop tard pour sauver papi, mais il a empêché l'homme à l'accent américain de finir son sale boulot en lui logeant une balle en pleine tête. Néné, qui était juste derrière lui, m'a dit que ça s'était joué à « un poil de cul ».

Néné fait le malin, mais je lis bien dans ses yeux qu'il a toujours du mal à se remettre de la scène. Moi qui le prenais toujours un peu de haut, j'ai découvert qu'il avait des nerfs d'acier. Marc m'a expliqué que malgré ce qu'il venait de vivre, Néné ne s'était pas effondré et avait eu suffisamment de maîtrise pour l'aider à nous déplacer loin de la chapelle, dans une autre partie de la forêt, avant d'appeler les secours et qu'il s'était chargé seul de mentir à la police. C'est grâce à lui que Marc n'a pas été interrogé par les flics et a pu s'occuper rapidement du trésor et des Autodafeurs.

À ce propos, il refuse toujours de m'en dire plus que ce que j'avais déjà deviné : le trésor sous la chapelle est bien l'ensemble des archives perdues à la Révolution ! Sauf que j'ai eu beau lui demander si je pouvais y accéder, il ne cesse de refuser sous prétexte que nous sommes surveillés et que ce serait beaucoup trop dangereux. Du coup, je dois me contenter de savoir que le trésor est bien caché et les cadavres des Autodafeurs bien enterrés. Quant au sort qu'il a réservé aux deux types que j'avais laissés K.-O. dans la chapelle, DeVergy reste très évasif ; je sais juste qu'il les a interrogés et qu'ils lui ont confirmé qu'un plan d'envergure était en cours et que mon père avait été éliminé parce qu'il en savait trop. Malheureusement, ces deux types étaient des sous-fifres et n'en savaient pas beaucoup plus ; le chef de leur expédition était l'Américain qui a tué mon grand-père... sauf que lui, ça va être dur de lui poser des questions vu que Marc lui a collé une balle entre les deux yeux !

Pour ce qui est des Montagues, ils en ont tous réchappés. Conrad et Guillaume en se barrant dans les bois dès l'arrivée de maman tandis que leur père était parti à la clinique récupérer BG avant notre attaque. Comme quoi y a vraiment de la chance que pour les sales types !

Marc m'a aussi expliqué qu'il avait été obligé d'enterrer mes grands-parents en secret sous la chapelle car leurs blessures par balle auraient suscité trop de questions. De toute manière, les flics sont persuadés qu'ils sont décédés dans l'incendie de La Commanderie à cause des restes humains que les pompiers y ont découverts.

Quand je vous disais que maman n'y était pas allée de main morte en piégeant le souterrain !

Heureusement, ces restes sont trop partiels pour que la vérité éclate un jour et c'est aujourd'hui deux Autodafeurs inconnus qui reposent dans le cimetière du village sous la pierre tombale portant le nom de mes grands-parents...

J'ai encore beaucoup de mal à parler de papi et mamie. Ils me manquent affreusement, surtout que, malgré les protestations de Marc, je sais bien qu'ils sont morts par ma faute. DeVergy a plein de qualités, mais la psycho, c'est pas son truc, alors je préfère garder mes sentiments pour moi. Parfois c'est vraiment dur. J'essaie d'être fort, surtout pour Césarine, mais il y a des jours où je sens qu'une colère noire me gonfle le cœur et où j'ai envie de tout casser autour de moi. Pour penser à autre chose, je lui ai demandé de commencer ma formation de Traqueur, car je compte bien aller récupérer ce que les Autodafeurs nous ont volé. Marc a accepté sans discuter et après ce qui nous est arrivé, ça me fait du bien de voir qu'il me fait confiance.

Mon dernier rêve revient régulièrement. Toujours le même, sauf que maintenant mamie est aux côtés des deux hommes de sa vie. Elle ne me parle jamais, elle se contente de me sourire, mais ça me réchauffe le cœur. Quant à papa et papi, leur message n'a pas changé : « Souviens-toi du Livre, trouve le Livre, lis le Livre… », sauf que même si j'ai la sensation que papa m'a déjà parlé de ce fichu livre, il faudrait déjà que je le retrouve ! Alors je fouille dans ma mémoire et je sais que je finirai par me souvenir.

L'histoire n'est pas finie, les Autodafeurs ont peut-être gagné une bataille, mais ils en ont aussi perdu une et je sais que le Grand Jeu, lui, ne fait que commencer !

Sans plus attendre,
découvrez les premières pages du tome 2.

doado

Marine Carteron

LES AUTODAFEURS 2

ma sœur est une artiste de guerre

Auguste

Ce matin, dans le grand miroir de la salle de bains, il y a un type brun aux yeux bleus et aux cheveux trop longs qui me regarde avec un air un peu perdu.

Il se tient légèrement voûté comme s'il n'en revenait pas de faire cette taille-là et que ses épaules refusaient de s'élever au-dessus de leur taille précédente. Les traits de son visage sont plus acérés qu'avant, moins ronds, plus durs, et une ombre duveteuse commence à s'afficher au-dessus de sa lèvre supérieure.

Ce type ressemble à mon père.

En plus jeune, en plus musclé et surtout, en plus vivant.

Ce type, je sais que c'est moi, mais je n'arrive pas à m'y habituer.

J'ai changé.

Avant, quand je m'observais dans la glace, la seule chose que je regardais, c'était si ma coiffure avait la bonne dose de gel, si je n'avais pas un bouton d'acné sur le nez ou si le col de mon polo n'était pas plié de travers.

Avant, je regardais mon reflet, mon apparence, sans chercher à voir plus loin. Je ne m'intéressais qu'à l'image que je renvoyais aux autres. Je me demandais si j'étais suffisamment dans la tendance, si j'étais « swag », si les filles allaient me trouver beau gosse et si j'avais tous les atouts pour être « populaire ».

Bref, je restais en surface de moi-même.

Mais aujourd'hui, tout a changé.

Quand je me regarde dans la glace, ma cicatrice est là pour me rappeler ce que j'ai perdu et je me fiche de mon apparence. Je me regarde dans les yeux car je cherche à savoir qui je suis vraiment à l'intérieur. Parce que je ne me reconnais plus.

Si mamie était encore là, elle me dirait que c'est normal, que tous les adolescents se sentent mal dans leur peau ; et puis elle me rassurerait en me disant d'avoir confiance en moi, que ce n'est qu'un mauvais cap à passer et tout un tas d'autres trucs de psy, pendant que papi me ferait des grimaces derrière son dos en l'imitant.

Mais mamie n'est plus là pour me rassurer et papi n'est plus là pour me faire rire.

Je ne me suis jamais senti aussi seul.

Demain j'aurai quinze ans et habituellement c'est un jour de fête. Sauf que cette année, rien n'est plus pareil parce que j'ai tué un homme et que je dois apprendre à vivre avec ma culpabilité.

Mais pour que vous compreniez mieux comment j'en suis arrivé là, il faut que je reprenne mon histoire là où j'en étais resté la dernière fois.

Cette belle aventure n'aurait jamais eu lieu
sans le soutien de Chloé Dubreuil et de son merveilleux
atelier d'écriture ; merci pour ses conseils,
ses encouragements et, surtout, d'avoir réussi à me convaincre
de ne pas laisser ce manuscrit au fond d'un tiroir.

Merci à toute la dynamique et enthousiaste équipe du Rouergue ;
merci à Sylvie pour sa patience face à mes angoisses,
merci à Olivier pour accepter mes 350 000 modifications
de dernière minute, merci à Adèle de ne pas
m'avoir prise pour une cinglée (enfin j'espère...)
et merci aux autres que je ne connais pas encore.

Merci à la joyeuse bande de la salle des profs du CFA
pour avoir répondu à mes questions les plus farfelues...
et pour m'avoir remplacée au pied levé le jour où, trop prise
par un chapitre, j'ai « oublié » de venir en cours !
(Chef, si tu lis ce passage... oublie-le !).

Merci aussi à mon correcteur orthographique moustachu
et aux latinistes qui m'ont évité d'avoir recours
aux pages roses du dictionnaire.

Merci à mes apprentis, source intarissable d'inspiration ;
ne laissez personne vous dire que la filière professionnelle est
moins bonne que la générale ; donnez-leur rendez-vous dans
dix ans, et on verra bien qui rigolera le plus à ce moment-là !

Et, évidemment, merci à mon homme d'être celui qu'il est.
Surtout ne change rien, tu es le plus merveilleux des maris
et des papas et je remercie chaque jour la bonne étoile
qui a permis que nos chemins se croisent
pour ne plus former qu'une seule route.
Je t'aime.

Ouvrage réalisé par
Cédric Cailhol Infographiste.
Reproduit et achevé d'imprimer
par l'Imprimerie France-Quercy à Mercuès
en octobre 2017.

Dépôt légal : mai 2014
N° d'impression : 70756

ISBN : 978-2-8126-0667-0

Imprimé en France.